저자

김기훈 現 ㈜ 쎄듀 대표이사
現 메가스터디 영어영역 대표강사
前 서울특별시 교육청 외국어 교육정책자문위원회 위원

저서 천일문 〈입문편 · 기본편 · 핵심편 · 완성편〉 / 초등코치 천일문
천일문 GRAMMAR / 왓츠 Grammar / 패턴으로 말하는 초등 필수 영단어
Oh! My Grammar / Oh! My Speaking / Oh! My Phonics
EGU 〈영단어&품사 · 문장 형식 · 동사 · 문법 · 구문〉 / 어휘끝 / 어법끝 / 거침없이 Writing / 쓰작
리딩 플랫폼 / 리딩 릴레이 / Grammar Q / Reading Q / Listening Q 등

쎄듀 영어교육연구센터

쎄듀 영어교육센터는 영어 콘텐츠에 대한 전문지식과 경험을 바탕으로
최고의 교육 콘텐츠를 만들고자 최선의 노력을 다하는 전문가 집단입니다.

장혜승 주임연구원 · 조연재 · 김지원

마케팅	콘텐츠 마케팅 사업본부
영업	문병구
제작	정승호
인디자인 편집	올댓에디팅
디자인	이연수, 문한나
일러스트	전병준, 연두, 김청희
영문교열	Stephen Daniel White

왓츠
리딩
What's Reading

Words

70 **B**

영어 독해력, 왜 필요한가요? WHY?

대부분 유아나 초등 시기에 처음 접하는 영어 읽기는 영어 동화책 중심입니다.
아이들이 영어에 친숙해지게 하고, 흥미를 가지게 하려면 재미있는 동화나 짧은 이야기,
즉 '픽션' 위주의 읽기로 접근하는 것이 좋은 방법이기 때문입니다.

그러나 학년이 높아짐에 따라 각종 시험에 출제되는 거의 대부분의 지문은 **유익한 정보나 지식,**
교훈 등을 주거나, 핵심 주제를 파악하여 글쓴이의 관점을 이해하는 것이 필요한 '논픽션' 류입니다.
초등 영어 교육 과정 또한 실용 영어 중심이다 보니, 이러한 다양한 지문을 많이 접하고 그 지문을 이해하는
능력을 기를 수 있는 기회가 사실 많지는 않습니다.

하지만 수능 영어의 경우, 실용 영어부터 기초 학술문까지 다양한 분야의 글이 제시되므로, **사회과학, 자연과학,**
문학과 예술 등 다양한 소재에 대한 배경지식을 기르는 것이 매우 중요하며, 지문을 읽고 핵심 주제와 글의 흐름을
파악해 문제를 풀 수 있는 능력, 즉 영어 독해력이 요구됩니다.

<왓츠 리딩> 시리즈는 아이들이 영어 읽기에 대한 흥미를 계속 유지하면서도, 논픽션 읽기에 자신감을 얻을 수
있도록, 챕터별로 **픽션과 논픽션의 비율을 50:50으로 구성**하였습니다. 각 챕터를 하나의 공통된 주제를 기반으로
한 지문 4개로 구성하여, **다양한 교과과정의 주제별 배경지식과 주요 단어**를 지문 내에서 자연스럽게 습득할 수
있도록 했습니다.

🔍 환경 관련 주제의 초등 ▸ 중등 ▸ 고등 지문 차이 살펴보기

같은 주제의 지문이라 하더라도, 픽션과 논픽션은 글의 흐름과 구조가 다르고, 사용되는 어휘가 다를 수 있습니다.
또한, 어휘의 난이도, 구문의 복잡성, 내용의 추상성 등에 따라 독해 지문의 난도는 크게 차이가 날 수 있습니다.

초등 **초6 'ㅊ' 영어 교과서 지문** (단어 수 83)

> The earth is sick. The weather is getting warmer. The water is getting worse.
> We should save energy and water. We should recycle things, too.
> What can we do? Here are some ways.
> · Turn off the lights.
> · Don't use the elevators. Use the stairs.
> · Take a short shower.
> · Don't use too much water. Use a cup.
> · Recycle cans, bottles and paper.
> · Don't use a paper cup or a plastic bag.
> Our small hands can save the earth!

초등 교과 과정에서는
필수 단어 **약 800개**
학습을 권장하고 있습니다.

Today I'm going to talk about three plastic bottles. They all started together in a store. But their lives were completely different.

A man came and bought the first bottle. After he drank the juice, he threw the bottle in a trash can. A truck took the bottle to a garbage dump. The bottle was with other smelly trash there. The bottle stayed on the trash mountain for a very long time. (중략)

A little boy bought the third bottle. The boy put the empty bottle in a recycling bin. A truck took the bottle to a plastic company. The bottle became a pen. A man bought it and he gave it to his daughter. Now it is her favorite pen!

What are you going to do with your empty bottles? Recycle! The bottles and the world will thank you for recycling.

중등 교과 과정에서는 **약 1,400**개의 단어를 익혀야 합니다.

고등 수능 기출 문제 (단어 수 149)

22. 다음 글의 요지로 가장 적절한 것은?

Environmental hazards include biological, physical, and chemical ones, along with the human behaviors that promote or allow exposure. Some environmental contaminants are difficult to avoid (the breathing of polluted air, the drinking of chemically contaminated public drinking water, noise in open public spaces); in these circumstances, exposure is largely involuntary. Reduction or elimination of these factors may require societal action, such as public awareness and public health measures. In many countries, the fact that some environmental hazards are difficult to avoid at the individual level is felt to be more morally egregious than those hazards that can be avoided. Having no choice but to drink water contaminated with very high levels of arsenic, or being forced to passively breathe in tobacco smoke in restaurants, outrages people more than the personal choice of whether an individual smokes tobacco. These factors are important when one considers how change (risk reduction) happens.

* contaminate 오염시키다 ** egregious 매우 나쁜

수능 영어 지문을 해석하려면 기본적으로 **약 3,300**개의 단어 학습이 필요합니다.

① 개인이 피하기 어려운 유해 환경 요인에 대해서는 사회적 대응이 필요하다.
② 환경오염으로 인한 피해자들에게 적절한 보상을 하는 것이 바람직하다.
③ 다수의 건강을 해치는 행위에 대해 도덕적 비난 이상의 조치가 요구된다.
④ 환경오염 문제를 해결하기 위해서는 사후 대응보다 예방이 중요하다.
⑤ 대기오염 문제는 인접 국가들과의 긴밀한 협력을 통해 해결할 수 있다.

왓츠 리딩 학습법

영어 독해력, 어떻게 키울 수 있나요?

<왓츠 리딩>으로 이렇게 공부해요!

STEP ① 주제별 핵심 단어 학습하기

● 글을 읽기 전에 주제와 관련된 단어들의 의미를 미리 학습하면 처음 보는 글의 내용을 보다 쉽게 이해할 수 있습니다. 주제별 핵심 단어들의 의미를 확인하고, QR코드로 원어민의 생생한 발음을 반복해서 듣고 따라 읽어보세요.

● <왓츠 리딩> 시리즈를 학습하고 나면, 주제별 핵심 단어 약 1,040개를 포함하여, 총 2,000여개의 단어를 완벽하게 익힐 수 있습니다.

STEP ② 다양한 종류의 글감 접하기

● 교과서나 여러 시험에서 다양한 구조로 전개되는 논픽션 류가 등장하기 때문에, 읽기에 대한 흥미를 불러일으키는 픽션 외에도 정보를 전달하는 논픽션을 바탕으로 한 다양한 종류의 글감을 접해야 합니다.

● <왓츠 리딩> 시리즈는 챕터별로 픽션과 논픽션의 비중을 50:50으로 구성하여, 두 가지 유형의 글 읽기를 위한 체계적인 학습이 가능합니다. 설명문뿐만 아니라 전기문, 편지글, 일기, 레시피, 창작 이야기 등 다양한 유형의 글감을 통해 풍부한 읽기 경험을 쌓아 보세요.

STEP ③ 지문을 잘 이해했는지 문제로 확인하기

● 독해는 글을 읽으며 글의 목적, 중심 생각, 세부 내용 등을 파악하는 과정입니다. 하나를 읽더라도 정확하게 문장을 해석하면서 문장과 문장 간의 연결을 이해하는 것이 중요해요. 이러한 독해 습관은 모든 학습의 기초인 문해력도 동시에 향상시킬 수 있습니다.

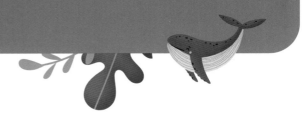

STEP 4 지문 구조 분석 훈련하기

● 올바른 이해는 글을 읽고 내용을 이해하는 것을 넘어 '나'의 사고를 확장하며 그 내용을 응용하는 것까지 이어져야 합니다. 따라서 글의 내용을 파악하는 문제 외에도 글의 구조를 분석하고 요약문으로 이해한 내용을 정리하는 활동을 통해 '내' 지식으로 만들어 보세요.

STEP 5 직독직해 훈련하기

● 직독직해란 영어를 적절하게 '끊어서 읽는 것'으로, 영어 어순에 맞게 문장을 읽어 나가는 것을 뜻합니다. 직독직해 연습을 통해 빠르고 정확하게 문장을 해석하는 방법을 익힘으로써 독해력을 키울 수 있습니다.

영어는 우리말과 어순이 다르기 때문에 이러한 훈련이 해석하는 데 큰 도움이 됩니다. 영어 어순에 맞춰 문장을 이해하다보면 복잡한 문장도 더 쉽게 이해할 수 있습니다.

직독직해 훈련의 시작은 기본적으로 주어와 동사를 찾아내는 것부터 할 수 있습니다. 해설에 실린 지문별 끊어 읽기를 보고, 직독직해 연습지를 통해 혼자서도 연습해보세요.

✎ 끊어서 읽기

당신은 무엇을 알고 있는가 / 곰에 대해서? 그들은 먹는다 / 식물, 고기, 그리고 물고기를.   겨울에, /
[1]What do you know / about bears? [2]They eat / plants, meat, and fish. [3]In winter, /

그들은 잠을 잔다 / 4개월 동안.   그들은 다섯 개의 발가락을 가지고 있다 / 각 발에.
they sleep / for four months. [4]They have five toes / on each foot.

     자이언트 판다는 곰이다.   / ~도.   하지만 자이언트 판다와 곰은   /   똑같지 않다.
[5]Giant pandas are bears, / too. [6]But giant pandas and bears / are not the same.

자이언트 판다는 먹는다 / 대나무를.   그리고 가끔씩,   / 야생에 있는 자이언트 판다는 먹는다 /
[7]Giant pandas eat / bamboo. [8]And sometimes, / giant pandas in the wild eat /

STEP 6 꾸준하게 복습하기

● 배운 내용을 새로운 문장과 문맥에서 다시 복습하는 것이 중요합니다.
제공되는 워크북, 단어 암기장, 그리고 다양한 부가 학습 자료를 활용하여, 그동안 배운 내용을 다시 떠올리며 복습해 보세요.

구성과 특징 Components

★ **<왓츠 리딩> 시리즈는 다음과 같이 구성되어 있습니다.**

<왓츠 리딩> 시리즈는 총 8권으로 구성되었습니다.

	70A / 70B	80A / 80B	90A / 90B	100A / 100B
단어 수 (Words)	60-80	70-90	80-110	90-120
*Lexile 지수	200-400L	300-500L	400-600L	500-700L

*Lexile(렉사일) 지수 미국 교육 연구 기관 MetaMetrics에서 개발한 영어 읽기 지수로, 개인의 영어독서 능력과 수준에 맞는 도서를 읽을 수 있도록 개발된 독서능력 평가지수입니다. 미국에서 가장 공신력 있는 지수로 활용되고 있습니다.

- 한 챕터 안에서 하나의 공통된 주제를 중심으로 다양한 교과과정을 학습할 수 있습니다.
- 익숙한 일상생활 소재뿐만 아니라, 풍부한 읽기 경험이 되도록 여러 글감을 바탕으로 지문을 구성했습니다.
- 주제별 배경지식 및 주요 단어를 지문 안에서 자연스럽게 익힐 수 있습니다.
- 체계적인 독해 학습을 위한 단계별 문항을 제시하며, 다양한 활동을 통해 글의 구조에 대한 이해도를 높일 수 있습니다.

주제 확인하기

하나의 주제를 기반으로 한 4개의 지문을 제공합니다. 어떤 영역의 지문이 등장하는지 한눈에 확인할 수 있습니다.

지문 소개 글 읽기

- 학습자의 흥미를 유발하고, 글에 대한 배경지식을 활성화시켜줍니다.

지문 속 핵심 단어 확인하기

- 지문에 등장하는 핵심 단어를 확인합니다. 각 단어의 의미를 이해하면 읽기에 더 집중할 수 있습니다.

- QR코드를 통해 핵심 단어의 원어민 발음을 들을 수 있습니다.

Pizza for Dinner

01

Tonight, my family will **have** pizza for **dinner**. I look at the menu. There are many toppings. First, I can't pick pineapple. Mom doesn't like it on pizza. Dad **loves** olives and onions. But he can't have mushrooms. My brother likes sausage, and my **favorite** topping is pepperoni. Everyone in my family loves cheese. So I'll **add** more cheese.

This pizza seems perfect for my family. I'm ready to **order**!

● ● 중요 단어(구) 표현
tonight 오늘 밤   look at ~을 보다   ...
pineapple 파인애플   olive 올리브   on ...
everyone 모두   cheese 치즈   seem ~해 ...

14 · 왓츠 리딩 70 ·

The Rainbow Village

01

September 15th

Today, my class visited the Rainbow **Village**. We heard an **interesting** story about the place.

It was an old village at first. Then the city decided to build new buildings. Everyone left the village. But only one old man **stayed**. Soon he got **bored**. He painted on his home and others. One day, students from nearby universities saw his artwork. They wanted to **save** the village. In the end, they saved 11 homes. Now many people visit the village. And the old man, now Grandpa Rainbow, **still** lives in it.

● ● 중요 단어(구) 표현
rainbow 무지개   September 9월   visit(visited) 방문하다   hear(~heard) 듣다   place 장소, 곳   old(~ new) 오래된   in(안~, 새로운)   at first 처음에는   decide to(decided to) ~하기로 결정하다   build 짓다   building 건물   leave(~left) 떠나다   only 오직 ~만   soon 곧   get(got) 어떤 상태가 되다   paint(painted) 그림을 그리다   nearby 근처의   university 대학교   artwork 예술 작품   in the end 마침내, 결국

86 · 왓츠 리딩 70 ·

유익하고 흥미로운 지문

● 다양한 종류의 글감으로 구성된 픽션과 논픽션 지문을 수록하였습니다.

독해력 Up 팁 하나
글을 읽기 전, 글의 내용과 관련된 사진이나 삽화를 보면서 내용을 미리 짐작해 보세요. 추측하면서 읽는 활동은 내용 파악에 도움이 됩니다.

● 핵심 단어 외에 지문에 등장하는 주요 단어와 표현을 확인할 수 있어요.

독해력 Up 팁 둘
모르는 단어가 있더라도 지문을 읽어본 다음, 그 단어의 의미를 추측해 보세요. 문장과 함께 단어의 의미를 학습하면 기억에 오래 남게 됩니다.

Pizza for Dinner

01

Tonight, my family will **have** pizza for **dinn**... the menu. There are many toppings. First, I can't pick pineapple. Mom doesn't like it on pizza. Dad **loves** olives and onions. But he can't have mushrooms. My brother likes sausage, and my **favorite** topping is pepperoni. Everyone in my family loves cheese. So I'll **add** more cheese.

● QR코드를 통해 지문과 단어의 MP3 파일을 들을 수 있습니다.

독해력 Up 팁 셋
음원을 듣고 따라 읽으면서 복습해 보세요. 영어 독해에 대한 두려움은 줄고, 자신감을 쌓을 수 있어요.

독해 실력을 길러주는 단계별 문항 Step 1, 2, 3

Step 1

Check Up

● 지문을 읽고 나서 내용을 잘 이해 했는지 확인해 보세요.

● 중심 생각과 세부 내용을 확인 하는 다양한 유형의 문제를 풀면 서 독해력의 기본기를 탄탄하게 쌓을 수 있어요.

Step 2

Build Up

글의 내용을 분류하고, 비교하고, 분석하면서 글의 구조를 정리해 보세요. 글의 순서, 원인-결과, 질문-대답 등 여러 리딩 스킬 학습을 통해 다양한 각도로 글을 이해할 수 있습니다.

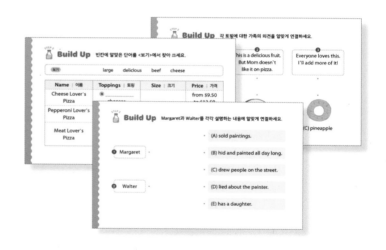

Step 3

Sum Up

빈칸 채우기, 시간 순 정리 활동으로 글의 요약문을 완성해 보세요. 글의 흐름을 다시 한번 복습하면서 학습을 마무리할 수 있습니다.

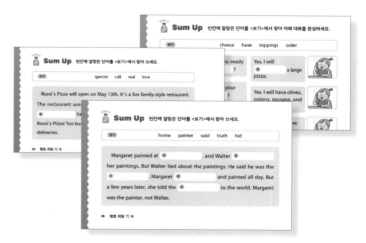

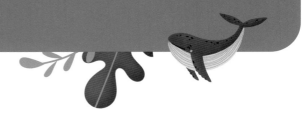

지문 속 단어 정리 및 복습

지문에 등장한 단어와 표현을 복습해요.
삽화를 통한 의미 확인, 연결 짓기, 추가 예문을 통해
단어의 의미를 한 번 더 정리합니다.

독해 학습을 완성하는 책속책과 별책 부록

WORKBOOK

- 지문에 등장했던 핵심 단어와 표현을 확인할
  수 있어요.

- 주어, 동사 찾기 연습과 단어 배열 연습 문제
  로 영작 연습하면서 지문 내용을 복습할 수
  있습니다.

자세한 해설 및 해석 제공

- 정답의 이유를 알려주는 문제 해설, 영어의
  어순으로 빠르게 해석할 수 있는 방법을
  보여 주는 직독직해를 확인해 보세요.

- 혼자서 해석하기 어려운 문장을 설명해주는
  문장 분석하기 코너를 활용해 보세요.

단어 암기장

- 지문에 등장했던 모든 단어와 표현을 확인할
  수 있어요.

- QR코드를 통해 단어 MP3 파일을 듣고 단어
  의미를 복습하면서 어휘력을 기를 수 있어요.

무료 부가서비스
www.cedubook.com

1. 단어 리스트   2. 단어 테스트   3. 직독직해 연습지
4. 영작 연습지   5. 받아쓰기 연습지   6. MP3 파일 (단어, 지문)

목차 Contents

Pizza

LITERATURE 01

피자에 들어가는 토핑은
정말 다양해서 고르기가 쉽지 않아요.
우리 가족이 원하는 건 어떤 피자일까요?

Pizza for Dinner

have (- had)	통 1 먹다 2 가지고 있다
dinner	명 저녁 식사
love (- loved)	통 1 매우 좋아하다 2 사랑하다
favorite	형 가장 좋아하는
add (- added)	통 더하다, 추가하다
order (- ordered)	통 1 주문하다 2 명령하다 명 주문

LIFESTYLE 02

Rossi's Pizza가 개점했어요.
그 피자 가게의 메뉴를 살펴볼까요?

Rossi's Pizza

real	형 진짜의
bake (- baked)	통 (음식을) 굽다
special	형 특별한, 특수한
secret	형 비밀의
delicious	형 맛있는
large	형 큰, 커다란

VOCA

ORIGIN

03

최초의 피자로 알려진 마르게리타
피자에 대한 이야기를 읽어 보세요.

The First Pizza

poor	혱 가난한
put (- put)	동 놓다, 두다, 얹다
city	명 도시
cook	명 요리사
look like (- looked like)	~처럼 보이다
popular	혱 인기 있는

LITERATURE

04

친구들을 위해 피자를 만들고 싶었던
암탉의 이야기를 읽어 볼까요?

The Hen's Pizza

see (- saw)	동 (눈으로) 보다
outside	전 ~의 밖에
ask (- asked)	동 묻다, 물어보다
store	명 상점, 가게
buy (- bought)	동 사다, 구입하다
together	부 함께, 같이

Pizza for Dinner

Tonight, my family will **have** pizza for **dinner**. I look at the menu. There are many toppings. First, I can't pick pineapple. Mom doesn't like it on pizza. Dad **loves** olives and onions. But he can't have mushrooms. My brother likes sausage, and my **favorite** topping is pepperoni. Everyone in my family loves cheese. So I'll **add** more cheese.

This pizza seems perfect for my family. I'm ready to **order**!

●● **주요 단어와 표현**

tonight 오늘 밤   look at ~을 보다   menu 메뉴   topping 토핑   first 우선; 최초의   pick 고르다, 선택하다
pineapple 파인애플   olive 올리브   onion 양파   mushroom 버섯   sausage 소시지   pepperoni 페퍼로니
everyone 모두   cheese 치즈   seem ~해 보이다, ~인 것 같다   perfect 완벽한   am[is, are] ready to ~할 준비가 되다

STEP 1

Check Up

1 이 글의 알맞은 제목을 고르세요.

중심
생각

① 맛있는 피자 만들기

② 내가 가장 좋아하는 음식

③ 우리 가족의 오늘 저녁 메뉴

2 글의 내용과 맞는 것에는 ○표, 틀린 것에는 ✕표 하세요.

세부
내용

(a) '나'의 가족은 저녁에 피자를 만들 것이다. _____

(b) 엄마는 파인애플이 있는 피자를 좋아한다. _____

(c) 가족 모두 치즈를 좋아한다. _____

3 'I'의 가족이 고른 피자에 들어갈 토핑을 고르세요.

세부
내용

①    ②    ③

4 글에 등장하는 단어로 빈칸을 채워 보세요.

중심
생각

My family will have ____ⓐ____ for dinner. There are many ____ⓑ____ on the menu.

내 가족은 저녁 식사로 ____ⓐ____을[를] 먹을 것이다. 메뉴에 많은 ____ⓑ____이[가] 있다.

ⓐ: _____   ⓑ: _____

STEP 2 Build Up 각 토핑에 대한 가족의 의견을 알맞게 연결하세요.

❶ Dad likes olives and onions. But he can't eat these.

❷ This is a delicious fruit. But Mom doesn't like it on pizza.

❸ Everyone loves this. I'll add more of it!

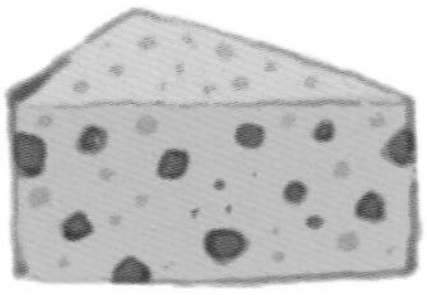

(A) cheese

(B) mushrooms

(C) pineapple

STEP 3 Sum Up 빈칸에 알맞은 단어를 <보기>에서 찾아 아래 대화를 완성하세요.

보기	cheese	have	toppings	order

Hello. Are you ready to ⓐ ________ ?

Yes. I will ⓑ ________ a large pizza.

Did you pick your ⓒ ________ ?

Yes. I will have olives, onions, sausage, and pepperoni.

Is that everything?

I want to add more ⓓ ________ , too.

Okay. Your pizza will be ready in 15 minutes.

Look Up

A 아래 그림에 알맞은 단어를 고르세요.

1
- ☐ dinner
- ☐ topping

2
- ☐ add
- ☐ pick

3
- ☐ seem
- ☐ order

B 주어진 단어의 알맞은 우리말 뜻을 찾아 연결하세요.

1 everyone   •   • 매우 좋아하다

2 mushroom   •   • 모두

3 perfect   •   • 완벽한

4 love   •   • 버섯

C 우리말 해석에 맞도록 <보기>에서 알맞은 단어를 골라 빈칸에 쓰세요.

보기	have order favorite

1 내가 가장 좋아하는 스포츠는 야구이다.

→ My _____ sport is baseball.

2 나는 점심 식사로 햄버거를 먹을 것이다.

→ I will _____ a hamburger for lunch.

3 그녀는 스파게티를 주문할 것이다.

→ She will _____ spaghetti.

Rossi's Pizza

Rossi's Pizza Grand Opening May 13th

You'll love Rossi's Pizza!
- A fun family-style restaurant
- **Real** Italian-style pizzas
- We **bake** pizzas in a **special** brick oven.
- Come in and try Rossi's **secret** sauce.
- You can also call for deliveries.

Cheese Lover's Pizza

with **delicious** cheeses
small $9.50 medium $11.50 **large** $13.50

Pepperoni Lover's Pizza

with extra pepperoni plus cheese
small $10.50 medium $12.50 large $14.50

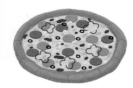

Meat Lover's Pizza

with pepperoni, ham, beef, bacon,
and sausage
small $11.50 medium $13.50 large $15.50

●● **주요 단어와 표현**

grand opening 개점, 개장   fun 즐거운, 재미있는   style 방식, 스타일   restaurant 레스토랑, 식당   Italian 이탈리아의
brick 벽돌   try 먹어보다   sauce 소스   also 또한   call 전화하다   delivery 배달   medium 중간의   extra 추가의
plus ~를 더하여   beef 소고기   bacon 베이컨

Check Up

1 이 글은 어떤 내용의 글인가요?

중심
생각

① 피자 종류를 설명하는 글

② 요리 교실에 초대하는 글

③ 새로운 식당을 홍보하는 글

2 글의 내용과 맞는 것에는 ○표, **틀린** 것에는 ✕표 하세요.

세부
내용

(a) 피자 가게는 5월 13일에 개점한다. _____

(b) 배달 주문을 전화로 할 수 없다. _____

(c) Pepperoni Lover's Pizza에는 베이컨이 없다. _____

3 Rossi's Pizza에 대해 글에 **없는** 것을 고르세요.

세부
내용

① 피자 가격　　　　② 피자 종류　　　　③ 소스 재료

4 글에 등장하는 단어로 빈칸을 채워 보세요.

세부
내용

You'll _____ⓐ_____ Rossi's Pizza. It's a _____ⓑ_____ family-style
restaurant.

당신은 Rossi's Pizza를 _____ⓐ_____ 것이다. 그곳은 _____ⓑ_____ 패밀리 레스토랑이다.

ⓐ: _____　　　　ⓑ: _____

STEP 2

Build Up
빈칸에 알맞은 단어를 <보기>에서 찾아 쓰세요.

보기   large   delicious   beef   cheese

Name | 이름	Toppings | 토핑	Size | 크기	Price | 가격
Cheese Lover's Pizza	ⓐ _____ cheeses		from $9.50 to $13.50
Pepperoni Lover's Pizza	pepperoni, ⓑ _____	3 different sizes: small, medium, ⓓ _____	from $10.50 to $14.50
Meat Lover's Pizza	pepperoni, ham, ⓒ _____ , bacon, sausage		from $11.50 to $15.50

STEP 3

Sum Up
빈칸에 알맞은 단어를 <보기>에서 찾아 쓰세요.

보기   special   call   real   love

Rossi's Pizza will open on May 13th. It's a fun family-style restaurant. The restaurant uses a ⓐ _____ brick oven. You can enjoy ⓑ _____ Italian-style pizzas. Your family will ⓒ _____ Rossi's Pizza! Too busy? Don't worry. You can also ⓓ _____ for deliveries.

Look Up

A 아래 그림에 알맞은 단어를 고르세요.

❶

☐ brick
☐ secret

❷

☐ real
☐ delicious

❸

☐ large
☐ medium

B 주어진 단어의 알맞은 우리말 뜻을 찾아 연결하세요.

❶ delivery · · 추가의

❷ fun · · (음식을) 굽다

❸ extra · · 즐거운

❹ bake · · 배달

C 우리말 해석에 맞도록 <보기>에서 알맞은 단어를 골라 빈칸에 쓰세요.

보기	special	secret	delicious

❶ 이 집은 비밀의 방이 있다.

→ This house has a _____ room.

❷ 이 초콜릿 케이크는 정말 맛있다.

→ This chocolate cake is really _____.

❸ 너는 나의 특별한 친구이다.

→ You are my _____ friend.

The First Pizza

A long time ago in Italy, **poor** people **put** tomatoes on *flatbread. Pizza began like that.

One day, the king and queen of Italy visited a **city**. A **cook** made "Margherita" for the queen "Margherita." "Margherita" was a new pizza. The pizza had red tomatoes, white cheese, and green basil. It **looked like** the Italian flag. The queen loved the pizza. The new pizza became **popular** as "Pizza Margherita."

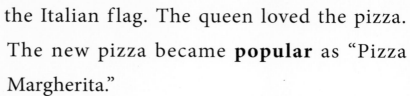

*flatbread 플랫브레드 (납작한 빵)

●● **주요 단어와 표현**

a long time ago 오래 전에   Italy 이탈리아   tomato 토마토   begin(- began) 시작되다   like that 그런 식으로   one day 어느 날   queen 왕비   visit(- visited) 방문하다   make(- made) 만들다   new 새로운   basil 바질   flag 기, 깃발   become(- became) ~해지다   as ~로서

Check Up

정답과 해설 p.7

1
중심
생각

이 글은 무엇에 대해 설명하는 내용인가요?

Margherita 피자의 _____

① 종류　　　　　　② 탄생　　　　　　③ 조리법

2
세부
내용

Margherita 피자에 대해 맞는 것에는 ○표, <u>틀린</u> 것에는 ✕표 하세요.

(a) 만든 사람의 이름은 Margherita이다. _____

(b) 토마토, 치즈, 바질이 재료로 들어갔다. _____

(c) 이탈리아 왕비는 피자를 좋아하지 않았다. _____

3
세부
내용

다음 중 Margherita 피자와 비슷하게 생긴 것을 고르세요.

① 이탈리아 지도　　　② 이탈리아 국기　　　③ 이탈리아 왕비

4
세부
내용

글에 등장하는 단어로 빈칸을 채워 보세요.

Long ago, poor Italian people put _____ⓐ_____ on flatbread. _____ⓑ_____
began like that.

오래 전에, 가난한 이탈리아 사람들은 플랫브레드 위에 _____ⓐ_____을[를] 얹었다. 그런 식으
로 _____ⓑ_____이[가] 시작되었다.

ⓐ: _____　　　　　　ⓑ: _____

Build Up   주어진 질문에 알맞은 대답을 연결하세요.

Question | 질문

Answer | 대답

1 What is the name of the pizza?

(A) It looks like the Italian flag.

2 What are the toppings?

(B) People call it "Pizza Margherita."

3 What does it look like?

(C) The toppings are tomatoes, cheese, and basil.

STEP 3

Sum Up   이야기 순서에 맞게 빈칸에 번호를 쓰세요.

1  The king and queen of Italy visited a city.

2 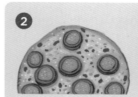 Pizza began with tomatoes and flatbread.

3  The queen loved the pizza. The pizza became popular as "Pizza Margherita."

4  A cook made a pizza for the queen.

☐ → ☐ → ☐ → ☐

A 아래 그림에 알맞은 단어를 고르세요.

①

☐ new
☐ poor

②

☐ city
☐ flag

③

☐ first
☐ popular

B 주어진 단어의 알맞은 우리말 뜻을 찾아 연결하세요.

① begin   •   • ~처럼 보이다

② visit   •   • 시작되다

③ cook   •   • 방문하다

④ look like   •   • 요리사

C 우리말 해석에 맞도록 <보기>에서 알맞은 단어를 골라 빈칸에 쓰세요.

| 보기 | put   popular   poor |

① 그는 한국에서 인기 있는 가수이다.

→ He is a _____ singer in Korea.

② 그 가난한 남자는 무료 식사를 먹었다.

→ The _____ man had a free meal.

③ 그녀는 자신의 케이크 위에 체리들을 얹었다.

→ She _____ cherries on her cake.

The Hen's Pizza

The hen wanted to make pizza. But there was no flour. She **saw** her friends **outside** her house. The hen called them and **asked**, "Can you go to the **store**?" They said, "No."

The hen went to the store. She **bought** flour. She came back and asked her friends, "Can you help me?" They said, "No."

The hen made pizza. She asked her friends again, "Do you want some pizza?" They said yes. They enjoyed the pizza **together**.

The hen asked, "Can you do the dishes?" And her friends said, "Yes, we can! Thanks for the pizza!"

● ● **주요 단어와 표현**

hen 암탉   **want to**(- wanted to) ~하기를 원하다   flour 밀가루   **call**(- called) 부르다   **go**(- went) 가다   **say**(- said) 말하다   **come back**(- came back) 돌아오다   help 돕다   again 다시   **enjoy**(- enjoyed) 즐기다   **do the dishes** 설거지하다   **thanks for** ~에 대해 감사하다

Check Up

1 이 글에 알맞은 제목을 고르세요.

중심
생각

> 암탉의 _____

① 피자 만들기   ② 진정한 친구 찾기   ③ 친구 버릇 고치기

2 글의 내용과 맞는 것에는 ○표, **틀린** 것에는 ✕표 하세요.

세부
내용

(a) 암탉은 혼자 상점에 가서 밀가루를 샀다.   _____

(b) 암탉의 친구들이 피자 만들기를 도와주었다.   _____

(c) 암탉의 친구들은 피자를 같이 먹었다.   _____

3 암탉이 친구들에게 부탁한 것이 <u>아닌</u> 것을 고르세요.

세부
내용

① 밀가루 사 오기   ② 집 청소하기   ③ 설거지하기

4 글에 등장하는 단어로 빈칸을 채워 보세요.

세부
내용

> The hen made _____ⓐ_____. She and her friends enjoyed it _____ⓑ_____.
>
> 암탉은 _____ⓐ_____을[를] 만들었다. 그녀와 그녀의 친구들은 그것을 _____ⓑ_____ 즐겼다.

ⓐ: _____   ⓑ: _____

Build Up 빈칸에 알맞은 단어를 <보기>에서 쓰세요.

| 보기 | enjoyed | bought | outside | store |

Characters 등장인물	Setting 배경	Events 사건
• the hen • her friends	a _____ the hen's house	• The hen asked her friends for help. • Her friends didn't go to the b _____.
• the hen	the store	• The hen c _____ flour.
• the hen • her friends	in the hen's house	• They d _____ the pizza together.

 STEP 3

Sum Up 이야기 순서에 맞게 빈칸에 번호를 쓰세요.

 The hen's friends did the dishes.

 The hen's friends didn't help her. So she went to the store.

 The hen asked her friends for help again. But they said no.

 The hen made the pizza. She and her friends enjoyed it together.

2 → ☐ → ☐ → ☐

Look Up

A 아래 그림에 알맞은 단어를 고르세요.

①

- ☐ see
- ☐ call

②

- ☐ go
- ☐ ask

③

- ☐ flour
- ☐ store

B 주어진 단어의 알맞은 우리말 뜻을 찾아 연결하세요.

① outside   ·

② do the dishes   ·

③ again   ·

④ enjoy   ·

· 설거지하다

· 다시

· ~의 밖에

· 즐기다

C 우리말 해석에 맞도록 <보기>에서 알맞은 단어를 골라 빈칸에 쓰세요.

보기	bought together saw

① Amy와 나는 함께 영화를 봤다.

→ Amy and I watched a movie _____ .

② 나는 동물원에서 사자들을 보았다.

→ I _____ lions at the zoo.

③ 그녀는 새 원피스를 샀다.

→ She _____ a new dress.

CHAPTER 2

Rights

LITERATURE 01

오랫동안 바지는 남자들만 입는 옷이었고, 여자들은 대부분 치마나 원피스만 입을 수 있었어요. 하지만 다른 여자아이들과 달랐던 Anne에 대해 읽어볼까요?

Pants for Change!

dress	몡 원피스, 드레스
pants	몡 바지 *in pants 바지를 입고서
listen (- listened)	동 듣다, 귀를 기울이다
walk (- walked)	동 걷다, 걸어가다
arrive (- arrived)	동 도착하다
early	부 일찍

PEOPLE 02

마가렛 킨(Margaret Keane)은 '빅 아이즈' 시리즈를 그려 큰 성공을 거두었지만, 옛날에는 늘 숨어서 그림을 그렸다고 해요.

Margaret the Painter

need (- needed)	동 필요로 하다
paint (- painted)	동 그림을 그리다
painting	몡 그림
painter	몡 화가
truth	몡 사실, 진실
hide (- hid)	동 숨다

SCHOOL 03

학교에 건의 사항이 있을 때는 주로 학생 회의를 통해 전달되지요. 하지만 직접 자신의 목소리를 낼 수도 있답니다.

Letter to the School

hurt (- hurt)	동 다치게 하다
help (- helped)	명 도움 동 돕다
problem	명 문제
too	부 너무 ~한
well	부 잘, 좋게 *better 더 잘, 더 좋게
share (- shared)	동 함께 나누다

WORLD 04

1960년에 처음으로 개최된 이 대회에서는 400명의 선수들이 모두 휠체어를 타고 있었다고 해요.

Games for Everyone

event	명 행사, 사건
end	명 끝 *the end of ~의 끝
player	명 (운동 경기의) 선수, 참가자
important	형 중요한
give (- gave)	동 주다
understand (- understood)	동 이해하다, 알다

Pants for Change!

Many years ago, girls only wore **dresses**, not **pants**. Anne was different. She wanted to wear pants. Pants were more comfortable.

One day, she wore pants. People saw her, and they were surprised! They asked, "Why are you wearing boys' pants? Girls don't wear pants." Anne didn't **listen**. At school, students and teachers were surprised, too.

Next day, Anne wore pants again. She could **walk** fast **in pants**. She **arrived** at school **early**. Soon, Anne was surprised.

Everyone was wearing pants! Pants were not only for boys.

● ● **주요 단어와 표현**

change 변화   many years ago 오래 전에   only ~만, 오직 *only for ~만을 위한   wear(- wore) 입다   different 다른 comfortable 편한, 편안한   one day 어느 날   surprised 놀란, 놀라는   next day 다음 날   again 다시   fast 빠르게 soon 곧

Check Up

1 이 글의 알맞은 제목을 고르세요.

중심
생각

① Anne의 새로운 원피스

② 청바지가 잘 어울리는 Anne

③ Anne이 불러온 패션의 변화

2 글의 내용과 맞는 것에는 ○표, **틀린** 것에는 ✕표 하세요.

세부
내용

(a) Anne은 원피스보다 바지가 더 편하다고 생각했다. _____

(b) Anne은 모두가 바지를 입은 걸 보고 놀랐다. _____

3 사람들이 Anne을 보고 놀란 이유는 무엇인가요?

세부
내용

① 너무 빠르게 걸어서

② 바지가 잘 어울려서

③ 바지는 남자만 입는 것이라서

4 글에 등장하는 단어로 빈칸을 채워 보세요.

세부
내용

Anne was _____ⓐ_____ . She wanted to _____ⓑ_____ pants, not dresses.

Anne은 _____ⓐ_____ . 그녀는 원피스가 아니라 바지를 _____ⓑ_____ 싶었다.

ⓐ : _____   ⓑ : _____

STEP 2 Build Up

아래 상자를 알맞게 연결하여 문장을 완성하세요.

1 Anne wanted to wear pants

2 People were surprised at Anne

3 Anne wore pants again,

(A) because pants were only for boys.

(B) and everyone wore pants, too.

(C) because pants were more comfortable.

STEP 3 Sum Up

빈칸에 알맞은 단어를 <보기>에서 찾아 쓰세요.

보기   everyone   fast   girls   arrived   wore

Anne (a) _____ pants. Everyone at school was surprised because (b) _____ only wore dresses. The next day, Anne wore pants again. She could walk (c) _____ in pants. When she (d) _____ at school, she was surprised. (e) _____ was wearing pants!

Look Up

A 아래 그림에 알맞은 단어를 고르세요.

1

☐ dress
☐ pants

2

☐ wear
☐ walk

3

☐ arrive
☐ listen

B 주어진 단어의 알맞은 우리말 뜻을 찾아 연결하세요.

1 only　　　　•　　　• 편한

2 again　　　　•　　　• 놀란

3 comfortable　•　　　• ~만, 오직

4 surprised　　•　　　• 다시

C 우리말 해석에 맞도록 <보기>에서 알맞은 단어를 골라 빈칸에 쓰세요.

> 보기　　　　　　listen　　early　　pants

1 나는 오늘 아침 일찍 일어났다.

→ I got up _____ this morning.

2 이 바지는 너무 길다.

→ These _____ are too long.

3 나는 매일 음악을 듣는다.

→ I _____ to music every day.

Margaret the Painter

Margaret drew people on the street. She had a daughter and **needed** money. Later, she met Walter, and they married. At that time, a woman couldn't get a job easily. Margaret **painted** at home, and Walter sold her **paintings**. Her paintings became popular. But Walter lied that he was the **painter**.

Margaret couldn't tell ⓐ the **truth**. She was afraid of Walter. She **hid** and painted all day long. A few years later, she stopped hiding. In an interview, she said, "I'm the painter, not Walter Keane."

●● **주요 단어와 표현**

draw(- drew) 그리다   street 거리   daughter 딸   later 나중에   meet(- met) 만나다   marry(- married) 결혼하다
at that time 그 당시   job 직업, 일자리   easily 쉽게   sell(- sold) 팔다   lie(- lied) 거짓말하다   afraid of ~을 두려워하는
all day long 하루 종일   a few 여러, 약간의   stop(- stopped) 그만하다   interview 인터뷰

Check Up

1 이 글은 무엇에 대해 설명하는 내용인가요?

중심
생각

① 위대한 화가 Walter

② 최초의 여성화가 Margaret

③ 감춰졌던 화가 Margaret

2 Margaret에 대한 내용으로 <u>틀린</u> 것을 고르세요.

세부
내용

① 결혼 전에 거리에서 사람들을 그렸다.

② 거리의 화가로 이름이 많이 알려졌다.

③ 결혼 후에는 집에서 그림을 그렸다.

3 밑줄 친 ⓐ the truth가 가리키는 것으로 알맞은 것을 고르세요.

세부
내용

① 여자는 쉽게 일자리를 구할 수 없었다는 것

② Walter가 그림을 그렸다는 것

③ Walter가 거짓말을 했다는 것

4 글에 등장하는 단어로 빈칸을 채워 보세요.

세부
내용

A woman couldn't get a _____ⓐ_____ easily, so Margaret _____ⓑ_____ at home.

여자는 _____ⓐ_____을[를] 쉽게 구할 수 없어서, Margaret은 집에서 _____ⓑ_____.

ⓐ: _____   ⓑ: _____

STEP 2 Build Up

Margaret과 Walter를 각각 설명하는 내용에 알맞게 연결하세요.

- (A) sold paintings.

1 Margaret
- (B) hid and painted all day long.

- (C) drew people on the street.

2 Walter
- (D) lied about the painter.

- (E) has a daughter.

STEP 3 Sum Up

빈칸에 알맞은 단어를 <보기>에서 찾아 쓰세요.

> 보기   home   painter   sold   truth   hid

Margaret painted at **a** _____, and Walter **b** _____ her paintings. But Walter lied about the paintings. He said he was the **c** _____. Margaret **d** _____ and painted all day. But a few years later, she told the **e** _____ to the world. Margaret was the painter, not Walter.

Look Up

A 아래 그림에 알맞은 단어를 고르세요.

①
☐ draw
☐ marry

②
☐ stop
☐ hide

③
☐ painter
☐ daughter

B 주어진 단어의 알맞은 우리말 뜻을 찾아 연결하세요.

① need •   • 그림을 그리다

② paint •   • ~을 두려워하는

③ sell •   • 필요로 하다

④ afraid of •   • 팔다

C 우리말 해석에 맞도록 <보기>에서 알맞은 단어를 골라 빈칸에 쓰세요.

보기	hid paintings truth

① 내게 진실을 말해 줘.

→ Tell me the _____.

② 고양이가 침대 밑에 숨었다.

→ The cat _____ under the bed.

③ 많은 그림이 박물관에 있다.

→ Many _____ are in the museum.

Letter to the School

Dear School Principal,

My name is Mary Wilson, and I am in the 4th grade. I have a friend, and his name is Andy. He **hurt** his leg last week. Now he's in a wheelchair. He gets **help** from his friends.

But I found some **problems** with our school. The classroom doors are **too** small for wheelchairs. Also, there are too many stairs, and there is no elevator.

Our school can do **better**! We can **share** more ideas.

I hope to hear from you soon.

Thank you,
Mary Wilson

● ● **주요 단어와 표현**

letter 편지 Dear ~에게 principal 교장 grade 학년 leg 다리 wheelchair 휠체어 some 몇몇의, 조금; 일부의, 어떤
find(- found) 찾다, 발견하다 classroom 교실 door 문 also 또한 stair 계단 elevator 엘리베이터, 승강기
more 더 많은 idea 생각 hope to ~하기를 바라다, 희망하다 hear 듣다

Check Up

1 이 글은 어떤 내용의 글인가요?

중심
생각

① 학교 행사에 초대하는 글

② 잘못한 일을 반성하는 글

③ 의견이나 희망사항을 제안하는 글

2 글의 내용과 맞는 것에는 ○표, **틀린** 것에는 ✕표 하세요.

세부
내용

(a) 글쓴이의 이름은 Andy이다. ＿＿＿＿＿＿

(b) 교실문은 휠체어가 지나가기에 너무 작다. ＿＿＿＿＿＿

3 글에 나온 내용이 **아닌** 것을 고르세요.

세부
내용

① 편지를 받는 사람 ② 글쓴이의 학년 ③ 학교 이름

4 글에 등장하는 단어로 빈칸을 채워 보세요.

중심
생각

I found some ＿＿＿ⓐ＿＿＿ with our school. But our school can do
＿＿＿ⓑ＿＿＿.

저는 우리 학교에 몇 가지 ＿＿＿ⓐ＿＿＿ 을[를] 발견했어요. 하지만 우리 학교는 ＿＿＿ⓑ＿＿＿
할 수 있어요.

ⓐ: ＿＿＿＿＿＿＿＿＿＿   ⓑ: ＿＿＿＿＿＿＿＿＿＿

Build Up 주어진 질문에 알맞은 대답을 연결하세요.

Question | 질문

Answer | 대답

❶ Who is the letter for?

❷ What does the writer want to do?

❸ Who wrote the letter?

(A) The writer wants to share more ideas about the school.

(B) Mary Wilson wrote the letter.

(C) The letter is for the school principal.

STEP 3

Sum Up 이야기 순서에 맞게 빈칸에 번호를 써 보세요.

❶ Mary writes a letter to the school principal about these problems.

❷ Andy gets help from his friends. But there are some problems with the school.

❸ The doors are too small for the wheelchair. Also, there is no elevator.

❹ Andy hurt his leg. He is in a wheelchair.

Look Up

A 아래 그림에 알맞은 단어를 고르세요.

1

☐ hope
☐ hurt

2

☐ help
☐ idea

3

☐ hear
☐ share

B 주어진 단어의 알맞은 우리말 뜻을 찾아 연결하세요.

1 letter •   • 잘, 좋게

2 grade •   • 편지

3 stair •   • 계단

4 well •   • 학년

C 우리말 해석에 맞도록 <보기>에서 알맞은 단어를 골라 빈칸에 쓰세요.

보기	problem	too	hurt

1 이 수프는 너무 뜨겁다.

→ This soup is _____ hot.

2 그 TV에 문제가 있다.

→ There is a _____ with the TV.

3 그녀는 팔을 다쳤다.

→ She _____ her arm.

Games for Everyone

*The Paralympic Games are a big sports **event**. They start after the **end** of the Olympic Games. There are Summer and Winter Paralympic Games. All **players**, Paralympians, have **disabilities. Some have one arm or leg. Some cannot see. But they can still play sports.

The Paralympic Games are very **important**. They **give** courage to 500 million people with disabilities. And other people can **understand** them better.

*The Paralympic Games 패럴림픽대회 ((장애인 올림픽 대회))
**disability (신체적·정신적) 장애

● ● ● 주요 단어와 표현

the Olympic Games 올림픽대회   after ~ 후에, ~ 뒤에   all 모든   arm 팔   still 여전히   courage 용기   million 백만의 *500 million 5억   with ~을 가진   other (그 밖에) 다른

Check Up

정답과 해설 p.19

1 이 글에 알맞은 제목을 고르세요.

중심
생각

① 다양한 형태의 올림픽대회

② 용기를 전하는 패럴림픽대회

③ 장애인을 위한 특별한 운동

2 패럴림픽대회에 대해 맞는 것에는 ○표, **틀린** 것에는 ×표 하세요.

세부
내용

(a) 올림픽대회와 동시에 개최된다. _____

(b) 여름과 겨울 대회가 있다. _____

(c) 사람들이 대회를 통해 장애를 가진 사람들을 더 잘 이해할 수 있다. _____

3 패럴림픽대회에 대해 글에 나온 내용이 <u>아닌</u> 것을 고르세요.

세부
내용

① 개최 시기　　　　　② 참가자들의 특징　　　　　③ 경기 종목

4 글에 등장하는 단어로 빈칸을 채워 보세요.

중심
생각

The Paralympic Games are a big sports ____ⓐ____. The games ____ⓑ____ courage to many people.

패럴림픽대회는 큰 스포츠 ____ⓐ____이다. 그 대회는 많은 사람들에게 용기를 ____ⓑ____.

ⓐ: _____　　　　　ⓑ: _____

STEP 2
Build Up 주어진 질문에 알맞은 대답을 연결하세요.

Question | 질문

1. What is the name of the event?

2. When does the event start?

3. Who are the players?

4. Why is the event important?

Answer | 대답

(A) The event starts after the end of the Olympic Games.

(B) It is the Paralympic Games.

(C) The event gives courage to people with disabilities.

(D) They are Paralympians. They all have disabilities.

STEP 3
Sum Up 빈칸에 알맞은 단어를 <보기>에서 찾아 쓰세요.

보기   players   courage   sports   end

The Paralympic Games are a big ⓐ_____ event. They start after the ⓑ_____ of the Olympic Games. All ⓒ_____ have disabilities. The Paralympic Games give ⓓ_____ to 500 million people with disabilities.

Look Up

A 아래 그림에 알맞은 단어를 고르세요.

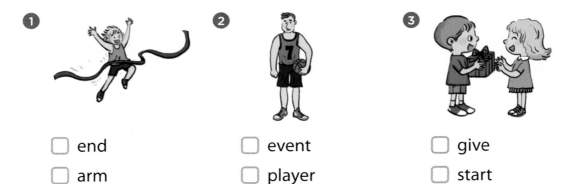

①
☐ end
☐ arm

②
☐ event
☐ player

③
☐ give
☐ start

B 주어진 단어의 알맞은 우리말 뜻을 찾아 연결하세요.

① courage •   • 여전히

② other •   • 백만의

③ still •   • (그 밖에) 다른

④ million •   • 용기

C 우리말 해석에 맞도록 <보기>에서 알맞은 단어를 골라 빈칸에 쓰세요.

> 보기   important   understand   players

① 건강은 매우 중요하다.

→ Health is very _____ .

② 네 부모님은 너를 이해해 주실 거야.

→ Your parents will _____ you.

③ 축구팀은 열한 명의 선수들이 필요하다.

→ A soccer team needs 11 _____ .

CHAPTER 3 Sports

SCHOOL 01

운동회 전날에 안내문을 보면서
일정과 준비물을 확인해 보세요.

Sports Day

invite (- invited)	동 초대하다 *invite A to B A를 B에 초대하다
fun	형 재미있는, 즐거운
activity	명 활동
hope (- hoped)	동 바라다, 기대하다
place	명 장소
wear (- wore)	동 입고 있다, 신고 있다

LITERATURE 02

운동회 날에는 여러 팀으로 나뉘어
게임하면서 함께 응원도 하지요.

Who is the Winner?

classmate	명 반 친구, 급우
team	명 팀, 단체
lose (- lost)	동 1 (시합 등에서) 지다 2 잃어버리다
first	부 첫 번째로, 1등으로 형 첫 번째의
win (- won)	동 1 (상품 등을) 이겨서 얻다 2 이기다 *win the prize 상을 타다
winner	명 우승자, 승리자

HISTORY 03

올림픽대회는 4년마다 열리는 세계 스포츠 행사예요. 하지만 예전의 올림픽대회는 지금과는 조금 달랐답니다.

The Olympic Games

start (- started)	동 시작하다
hold (- held)	동 1 (행사 등을) 열다, 개최하다 2 (손 등으로) 잡다, 쥐고 있다
stop (- stopped)	동 멈추다, 중단하다
about	전 ~에 대하여
change (- changed)	동 변하다, 바뀌다
woman	명 (성인) 여자, 여성 *women 여자들

ORIGIN 04

올림픽대회에서 가장 많이 등장하는 것 중 하나가 오륜기예요. 오륜기는 어떻게 만들어졌을까요?

The Olympic Flag

flag	명 기, 깃발
ring	명 1 고리, 고리 모양의 것 2 반지
draw (- drew)	동 그리다
part	명 1 지역 2 부분
use (- used)	동 쓰다, 사용하다
choose (- chose)	동 고르다, 선택하다

Sports Day

Dear Parents,

We want to **invite** you **to** our Sports Day event. There will be **fun activities** and snacks. We **hope** to see you then.

- Date: Friday, 30th September at 9:00 a.m.
- **Place**: Riverside Elementary School Schoolyard
- Activities: 100-meter race, ball passing, hula hoop, races for parents
- What to **Wear**

  Parents: white T-shirts, jeans, running shoes

  Children: school gym clothes, running shoes

Please call the school office at 201-300-4512 for questions.

● ● **주요 단어와 표현**

sports day 운동회 날   parent 부모   snack 간식   then 그때   date 날짜   September 9월   elementary school 초등학교   schoolyard 운동장   meter 미터   race 경주   ball passing 공 주고받기   hula hoop 훌라후프   jeans 청바지   running shoes 운동화   child 아이 *children 아이들   gym clothes 체육복   school office 교무실 question 질문

Check Up

1 이 글은 어떤 종류의 글인가요?

중심
생각

① 사건을 보도하는 글

② 학교 행사를 안내하는 글

③ 안부를 전하는 글

2 글의 내용과 맞는 것에는 O표, **틀린** 것에는 X표 하세요.

세부
내용

(a) 학부모에게 보내는 글이다. _____

(b) 운동회는 학교 체육관에서 열린다. _____

(c) 운동회 종목에 훌라후프가 있다. _____

3 운동회에 대해서 이 글에 **없는** 내용을 고르세요.

세부
내용

① 활동 순서   ② 날짜   ③ 복장

4 글에 등장하는 단어로 빈칸을 채워 보세요.

세부
내용

There will be fun _____ⓐ_____ and _____ⓑ_____ at our Sports Day event.

우리 운동회 행사에 재미있는 _____ⓐ_____ 와[과] _____ⓑ_____ 이[가] 있을 것이다.

ⓐ: _____   ⓑ: _____

Build Up

괄호 안에 알맞은 단어를 골라 학교 운동회 포스터를 완성하세요.

SPORTS DAY

Date: ⓐ (Monday / Friday),
30th September at 9:00 a.m.

Place: Our ⓑ (gym / schoolyard)

Activities:
- 100-meter ⓒ (race / swim)
- ball passing • hula hoop
- races for ⓓ (parents / teachers)

We hope to see you then.

Sum Up

빈칸에 알맞은 단어를 <보기>에서 찾아 전화 대화를 완성하세요.

| 보기 | jeans Friday questions wear |

Hello, this is the school office.

Hello, I have some
ⓐ _____
about Sports Day.
When does it start?

It starts at 9 this
ⓑ _____ .

Also, I am a parent.
What should I
ⓒ _____
for the event?

You should wear a
white T-shirt with
ⓓ _____ .

Okay. Thank you very much.

Look Up

A 아래 그림에 알맞은 단어를 고르세요.

1

- ☐ jeans
- ☐ gym clothes

2

- ☐ race
- ☐ date

3

- ☐ parent
- ☐ children

B 주어진 단어의 알맞은 우리말 뜻을 찾아 연결하세요.

1 activity ·　　　　　　　 · 질문

2 question ·　　　　　　　 · 초대하다

3 hope ·　　　　　　　 · 활동

4 invite ·　　　　　　　 · 바라다

C 우리말 해석에 맞도록 <보기>에서 알맞은 단어를 골라 빈칸에 쓰세요.

> **보기**　　　　　　fun　　　place　　　wear

1 Sally는 치마 입는 것을 좋아한다.

→ Sally likes to 　　　　　 skirts.

2 그 파티는 정말 재미있었어!

→ The party was really 　　　　　 !

3 그 공원은 소풍하기에 좋은 장소이다.

→ The park is a good 　　　　　 for a picnic.

Who is the Winner?

Today was Sports Day. I had so much fun with my **classmates**. There were 100-meter races, soccer games, *tugs-of-war, and relay races.

There were three different **teams**: White, Blue, and Red. My class was in the White team. Our team **lost** the soccer final against the Red team. But we came in **first** in the relay race. We cheered for our team very hard. But the Blue team **won** the prize for the best cheer.

Everyone was a **winner** today!

*tug-of-war 줄다리기

●● **주요 단어와 표현**

have fun(- had fun) 재미있게 보내다   game 경기   relay race 릴레이 경주, 계주   different 다른   final 결승전
against ~에 맞서   come in(- came in) (경주에서 몇 위로) 들어오다   cheer for(- cheered for) ~을 응원하다 *cheer 응원
hard 열심히   the best 최고의   prize 상   everyone 모두

Check Up

1 이 글의 알맞은 제목을 고르세요.

중심
생각

① 가을 운동회가 열리는 날

② 모두가 일등인 운동회

③ 노력 끝에 얻은 우승

2 운동회 경기 종목이 <u>아닌</u> 것을 고르세요.

세부
내용

① 100미터 달리기   ② 줄넘기   ③ 줄다리기

3 글의 내용과 맞는 것에는 ○표, **틀린** 것에는 ✕표 하세요.

세부
내용

(a) 전교생이 세 개의 팀으로 나뉘어 경기했다. _____

(b) 'I'의 반은 홍팀이었다. _____

(c) 청팀은 아무 상도 타지 못했다. _____

4 글에 등장하는 단어로 빈칸을 채워 보세요.

세부
내용

> Our team _____ⓐ_____ the soccer final. But we came in _____ⓑ_____
> in the relay race.
>
> 우리 팀은 축구 결승전에서 _____ⓐ_____. 하지만 우리는 릴레이 경주에서 _____ⓑ_____ 들어
> 왔다.

ⓐ: _____   ⓑ: _____

STEP 2

Build Up

Blue, White, Red 팀의 아이들이 뭐라고 말하고 있을까요?
아래 (A) ~ (C) 중에서 가장 알맞은 것을 골라 빈칸에 쓰세요.

(A) We won the relay race!
(B) We won the soccer final!
(C) We won the prize for the best cheer!

STEP 3

Sum Up   빈칸에 알맞은 단어를 <보기>에서 찾아 쓰세요.

보기   winner   best   lost   relay   fun

I had so much **a** _____ today. It was sports day. My class was in the White team. Our team **b** _____ the soccer final. The Red team won. But we won the **c** _____ race. Also, the Blue team won the **d** _____ cheer prize. Everyone was a **e** _____ !

Look Up

A 아래 그림에 알맞은 단어를 고르세요.

1
- ☐ winner
- ☐ classmate

2
- ☐ lose
- ☐ cheer for

3
- ☐ hard
- ☐ first

B 주어진 단어의 알맞은 우리말 뜻을 찾아 연결하세요.

1 team •   • 결승전

2 the best •   • 팀

3 prize •   • 상

4 final •   • 최고의

C 우리말 해석에 맞도록 <보기>에서 알맞은 단어를 골라 빈칸에 쓰세요.

보기	classmate　　winner　　won

1 그녀는 노벨상을 탔다.

→ She _____ the Nobel Prize.

2 우승자가 누구니?

→ Who is the _____?

3 나의 반 친구는 여기 근처에 산다.

→ My _____ lives near here.

03 The Olympic Games

The Olympic Games are an important festival. The first Olympic Games **started** in 776 *B.C. People **held** the festival every four years. But it **stopped** in 394 **A.D.

In the 19th century, Pierre Coubertin wanted to bring back the Olympics. He talked to people **about** the importance of sports. The Olympics started again in 1896.

Over time, the Olympics **changed**. In old times, **women** couldn't play. But now everyone can. Also, there are the winter games for ice and snow sports.

*B.C. 기원전 **A.D. 서기

●● **주요 단어와 표현**

the Olympic Games(= the Olympics) 올림픽대회   important 중요한 *importance 중요성   festival 축제   every ~마다   century 세기, 100년   bring back 다시 가져오다   again 다시   over time 시간이 흐르면서   in old times 예전에 play (경기를) 하다   also 또한   ice 빙상, 얼음   snow 눈

Check Up

정답과 해설 p.26

1

중심
생각

이 글은 무엇에 대해 설명하는 내용인가요?

> 올림픽대회의 _____

① 창시자　　　　　　　② 역사　　　　　　　③ 종목

2

세부
내용

올림픽대회에 대한 내용과 맞는 것에는 ○표, 틀린 것에는 ✕표 하세요.

(a) 기원전 776년에 처음 시작되었다.　　　　　　　_____

(b) Coubertin에 의해 중단되었다.　　　　　　　_____

(c) 1896년에 다시 시작되었다.　　　　　　　_____

3

세부
내용

올림픽대회가 옛날과 달라지지 <u>않은</u> 점을 고르세요.

① 4년마다 열린다.

② 여성도 참가할 수 있다.

③ 눈 스포츠를 위한 겨울 대회가 있다.

4

세부
내용

글에 등장하는 단어로 빈칸을 채워 보세요.

> People hold the _____ⓐ_____ Games every _____ⓑ_____ years.
>
> 사람들은 _____ⓑ_____년마다 _____ⓐ_____ 대회를 개최한다.

ⓐ: _____　　　　　　　ⓑ: _____

Build Up 빈칸에 알맞은 단어를 <보기>에서 찾아 쓰세요.

보기	held winter everyone women

Before 예전	**Now 지금**
People ⓐ _____ the Olympic Games every four years. →	The Olympic Games happen every four years.
ⓑ _____ couldn't play. →	ⓒ _____ can play.
There were only summer games. →	There are summer and ⓓ _____ games.

STEP 3

 Sum Up 빈칸에 알맞은 단어를 <보기>에서 찾아 쓰세요.

보기	sports first again stopped

History of the Olympics

776 B.C. —— The ⓐ _____ Olympic Games started.

394 A.D. —— The Olympic Games ⓑ _____.

1896 —— Pierre Coubertin talked about the importance of
ⓒ _____. The Olympic Games started
ⓓ _____.

A 아래 그림에 알맞은 단어를 고르세요.

① ☐ hold
☐ change

② ☐ women
☐ festival

③ ☐ ice
☐ snow

B 주어진 단어의 알맞은 우리말 뜻을 찾아 연결하세요.

① every •   • 멈추다

② stop •   • 또한

③ important •   • ~마다

④ also •   • 중요한

C 우리말 해석에 맞도록 <보기>에서 알맞은 단어를 골라 빈칸에 쓰세요.

> 보기   about   start   change

① 그 경기는 오후 2시에 시작할 것이다.

→ The game will _____ at 2 p.m.

② 나뭇잎들은 가을에 변한다.

→ The leaves _____ in fall.

③ 우리가 좋아하는 운동에 대해 말해 보자.

→ Let's talk _____ our favorite sports.

The Olympic Flag

During the Olympic Games, we see the Olympic **flag** often. The flag has five **rings** on a white background. Pierre Coubertin designed the flag in 1913. He **drew** and colored the rings by hand.

The five rings mean the five **parts** of the world: Africa, Asia, America, Europe, and *Oceania. Coubertin **used** blue, black, red, yellow, and green for the five rings. He also **chose** white for the background. Why those six colors? Every country's flag has at least one of them.

*Oceania 오세아니아 ((호주 대륙을 중심으로 하는 태평양 지역))

● ● **주요 단어와 표현**

during ~ 동안   often 자주   background 바탕, 배경   design(- designed) 디자인하다   color(- colored) 색칠하다; 색
by ~로   mean 의미하다   world 세계   every 모든   country 나라   at least 적어도, 최소한   one of ~ 중 하나

Check Up

1 이 글은 무엇에 대해 설명하는 내용인가요?

중심
생각

① 올림픽대회 참가국의 변화

② 올림픽기의 탄생과 형태

③ 올림픽기의 올바른 사용법

2 올림픽기에 대한 내용과 맞는 것에는 ○표, 틀린 것에는 ✕표 하세요.

세부
내용

(a) Coubertin이 직접 디자인했다.　　　　　　　　_____

(b) 깃발의 고리는 세계의 지역을 나타낸다.　　　_____

(c) 올림픽기 색상은 주요 경기 종목을 나타낸다.　_____

3 올림픽기에 사용되지 <u>않은</u> 색을 고르세요.

세부
내용

① 검정　　　　　　　② 노랑　　　　　　　③ 보라

4 글에 등장하는 단어로 빈칸을 채워 보세요.

중심
생각

> The Olympic flag has _____ⓐ_____ rings on a _____ⓑ_____ background.
>
> 올림픽기는 _____ⓑ_____ 바탕에 _____ⓐ_____의 고리가 있다.

ⓐ: _____　　　　　　ⓑ: _____

Build Up   주어진 질문에 알맞은 대답을 연결하세요.

Question | 질문

Answer | 대답

1 What do the five rings mean?

2 What are the colors on the flag?

3 Why did Coubertin choose those colors?

(A) They are blue, black, red, yellow, green, and white.

(B) They mean the five parts of the world.

(C) Every country's flag has at least one of the colors.

Sum Up   빈칸에 알맞은 단어를 <보기>에서 찾아 쓰세요.

보기   parts   rings   six   white

Pierre Coubertin designed the Olympic flag in 1913. The flag has five

a _____ on a white background. The rings mean the five

b _____ of the world. He used **c** _____ colors for the

flag. They are blue, black, red, yellow, green, and **d** _____ .

Look Up

A 아래 그림에 알맞은 단어를 고르세요.

1

- ☐ color
- ☐ design

2

- ☐ ring
- ☐ part

3

- ☐ use
- ☐ choose

B 주어진 단어의 알맞은 우리말 뜻을 찾아 연결하세요.

1 part ·   · 의미하다

2 mean ·   · 기, 깃발

3 flag ·   · 바탕

4 background ·   · 지역; 부분

C 우리말 해석에 맞도록 <보기>에서 알맞은 단어를 골라 빈칸에 쓰세요.

> 보기   chose   draw   use

1 내가 네 컴퓨터를 써도 되겠니?

→ Can I _____ your computer?

2 그는 도서관에서 세 권의 책을 골랐다.

→ He _____ 3 books from the library.

3 칠판에 고리를 하나 그려라.

→ _____ a ring on the blackboard.

Violin

01 **Beautiful Music**

LITERATURE

땅 속에서 아름다운 음악을 만들고
싶어 하는 두더지 친구가 있었어요.

ground	몡 땅, 지면
music	몡 음악
play (- played)	통 1 (악기 등을) 연주하다 2 (놀이, 경기 등을) 하다 3 놀다
people	몡 사람들
hear (- heard)	통 듣다
dream	몡 (장래의) 꿈

02 **Niccolò Paganini**

PEOPLE

사람들은 Paganini의 엄청난 바이올린
연주 실력이 '악마에게 영혼을 판 대가로
얻은 것'이라고 말했어요.

write (- wrote)	통 1 작곡하다 2 쓰다, 적다
invent (- invented)	통 발명하다
proud	혱 자랑스러운 *proud of ~을 자랑스러워하는
show off (- showed off)	~을 자랑하다
break (- broke)	통 깨다, 부수다
true	혱 진정한, 진실의, 참된

LITERATURE

바이올린이 너무 갖고 싶었던
작은 쥐의 이야기를 읽어 보세요.

03 The Mouse Violinist

little	형 작은
live (- lived)	동 살다
try (- tried)	동 노력하다, 해보다 *try to ~하려고 노력하다
something	대 어떤 것, 무엇인가
finish (- finished)	동 끝내다, 마치다
perfect	형 완벽한, ~에 꼭 알맞은

ART

Stradivari가 만든 바이올린은
다른 제작자의 바이올린보다
더 예리한 소리를 낸다고 해요.

04 Antonio Stradivari

famous	형 유명한, 이름난
life	명 일생, 생애
sound	명 소리, 음
lie (- lied)	동 거짓말하다
expensive	형 값비싼, 고가의
cheap	형 값이 싼, 싼 *the cheapest 가장 값이 싼

Beautiful Music

Mole lived in the **ground**, under a tree. One night, he saw a violinist on TV. She made beautiful **music**. He wanted to make beautiful music, too. So he got a violin. He practiced the violin every day. He wanted to **play** his music for **people**.

After a month, he was better. After two months, he could play a song. After a few years, Mole played better than the violinist. People **heard** about Mole. They came and listened to Mole's music. Finally, ⓐ Mole's **dream** came true.

●● 주요 단어와 표현

under ~ 아래에   one night 어느 날 밤   violinist 바이올린 연주자   make(- made) 만들다   get(- got) 구하다, 얻다
practice(- practiced) 연습하다   month 달, 월   better 더 잘하는; 더 잘   song 곡, 노래   a few 몇, 약간의   than ~ 보다
come(- came) 오다   listen to(- listened to) ~을 듣다   finally 마침내   come true(- came true) 이루어지다, 실현되다

Check Up

1 이 글의 알맞은 제목을 완성하세요.

중심
생각

> Mole의 _____

① 꿈의 집   ② 음악과 꿈   ③ 오래된 바이올린

2 글의 내용과 맞는 것에는 〇표, **틀린** 것에는 X표 하세요.

세부
내용

(a) Mole은 나무 위에 집을 짓고 살았다.   _____

(b) Mole은 TV에서 바이올린 연주자를 보고 꿈이 생겼다.   _____

(c) 몇 년 후에도 Mole의 연주 실력이 나아지지 않았다.   _____

3 밑줄 친 ⓐ Mole's dream이 가리키는 것으로 알맞은 것을 고르세요.

세부
내용

① TV에 출연해서 유명해지기

② 음악 경연에 나가서 우승하기

③ 사람들을 위해 자신의 음악을 연주하기

4 글에 등장하는 단어로 빈칸을 채워 보세요.

세부
내용

> People came and _____ⓐ_____ to Mole's music. Finally, his
> _____ⓑ_____ came true.
>
> 사람들이 와서 Mole의 음악을 _____ⓐ_____. 마침내 그의 _____ⓑ_____이[가] 이루어졌다.

ⓐ: _____   ⓑ: _____

Build Up

문장에 알맞은 그림을 연결하고, 이야기 순서에 맞게 번호를 쓰세요.

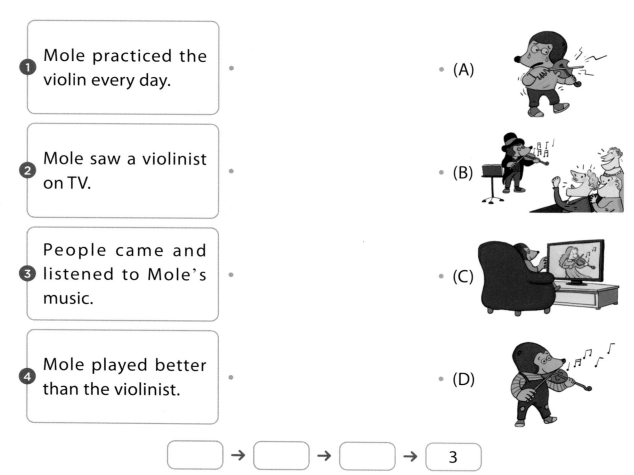

1. Mole practiced the violin every day.

2. Mole saw a violinist on TV.

3. People came and listened to Mole's music.

4. Mole played better than the violinist.

(A)

(B)

(C)

(D)

☐ → ☐ → ☐ → 3

Sum Up

빈칸에 알맞은 단어를 <보기>에서 찾아 쓰세요.

보기   heard   practiced   dream   music

One night, Mole saw a violinist on TV. She made beautiful

a _____ . He wanted to play his music for people. So he got a

violin and b _____ it every day. After a few years, people

c _____ about Mole and listened to his music. Finally, Mole's

d _____ came true.

A 아래 그림에 알맞은 단어를 고르세요.

❶    ❷    ❸

☐ people   ☐ music   ☐ get
☐ ground   ☐ dream   ☐ practice

B 주어진 단어의 알맞은 우리말 뜻을 찾아 연결하세요.

❶ hear   •   • 몇, 약간의

❷ come true   •   • 듣다

❸ finally   •   • 마침내

❹ a few   •   • 이루어지다

C 우리말 해석에 맞도록 <보기>에서 알맞은 단어를 골라 빈칸에 쓰세요.

> 보기   music   dream   play

❶ Judy는 피아노를 연주할 수 있다.

→ Judy can _____ the piano.

❷ 너의 꿈은 무엇이니?

→ What's your _____ ?

❸ 나는 매일 음악을 듣는다.

→ I listen to _____ every day.

Niccolò Paganini

Niccolò Paganini was one of the best violinists. He **wrote** music. He **invented** many violin techniques. Everyone knew about him, and Paganini was very **proud of** his skill.

One day, another violinist challenged Paganini. Paganini wanted to **show off** his skill. He **broke** his violin's strings. He left only one string on his violin. But he played difficult music perfectly. He was a **true** master of the violin.

●● **주요 단어와 표현**

technique 기법, 기술　know(- knew) 알다　skill 실력, 솜씨　another 다른　challenge(- challenged) 도전하다
string 줄, 끈　leave(- left) 그대로 두다　only 오직, 겨우　difficult 어려운　perfectly 완벽하게　master 명인, 거장

Check Up

1 이 글은 무엇에 대해 설명하는 내용인가요?

중심
생각

> Paganini의 _____

① 특별한 바이올린   ② 다양한 연주 기법   ③ 바이올린 연주 실력

2 Paganini에 대해 글의 내용과 맞는 것에는 ○표, **틀린** 것에는 ✕표 하세요.

세부
내용

(a) 다양한 연주 기법을 발명했다. _____

(b) 자신의 연주 실력에 만족하지 못했다. _____

3 글에서 Paganini가 한 일이 **아닌** 것을 고르세요.

세부
내용

① 음악 작곡하기

② 다른 바이올린 연주자에게 도전하기

③ 바이올린 줄 하나로 연주하기

4 글에 등장하는 단어로 빈칸을 채워 보세요.

중심
생각

> Niccolò Paganini was a true _____ ⓐ _____ of the _____ ⓑ _____ .
> Niccolò Paganini는 _____ ⓑ _____의 진정한 _____ ⓐ _____ 이었다.

ⓐ: _____   ⓑ: _____

Build Up 문장에 알맞은 단어를 골라 Paganini에 대한 설명을 완성하세요.

Niccolò Paganini

- a studied / wrote music.
- b invented / heard many violin techniques.
- wanted to show off his c skill / violin .
- d played / broke his violin with only one string.
- was a true e master / challenger of the violin.

 STEP 3

Sum Up 이야기 순서에 맞게 빈칸에 번호를 쓰세요.

❶ Paganini was proud of his violin skill.

❷ Paganini broke the strings on his violin.

❸ Another violinist challenged Paganini.

❹ Paganini played difficult music perfectly with only one string.

A 아래 그림에 알맞은 단어를 고르세요.

1
☐ leave
☐ write

2
☐ true
☐ proud

3
☐ break
☐ invent

B 주어진 단어의 알맞은 우리말 뜻을 찾아 연결하세요.

1 difficult •   • 줄, 끈

2 skill •   • ~을 자랑하다

3 string •   • 실력, 솜씨

4 show off •   • 어려운

C 우리말 해석에 맞도록 <보기>에서 알맞은 단어를 골라 빈칸에 쓰세요.

보기	invented　　wrote　　proud

1 작가는 자신의 책을 자랑스러워했다.

→ The writer was　　　　　　of his book.

2 누가 최초의 비행기를 발명했는가?

→ Who　　　　　　the first airplane?

3 나는 Amy에게 편지를 썼다.

→ I　　　　　　a letter to Amy.

The Mouse Violinist

Antonio was a violin maker. Poppy was a **little** mouse. Poppy **lived** in Antonio's workshop. She wanted to play Antonio's violin. The violin was too big for her. But she **tried to** play it every night.

One night, Antonio heard **something** from his workshop. There, he saw Poppy with his violin. He thought, "I will make something for her!" When he **finished** the work, he put ⓐ <u>it</u> in a small box.

Poppy found the box and opened it. There was a tiny little violin. It was the **perfect** size for her!

● ● **주요 단어와 표현**

maker ~을 만드는 사람, 제작자   workshop 작업장   too 너무 ~한   there 그곳에서   think(- thought) 생각하다   work 작업   put(- put) 넣다, 두다   small 작은   find(- found) 발견하다   open(- opened) 열다   tiny little 아주 작은   size 크기

Check Up

1 이 글의 알맞은 제목을 고르세요.

중심
생각

① Antonio와 Poppy의 대결

② Poppy를 위한 Antonio의 선물

③ 천재 바이올린 제작자 Antonio

2 Poppy에 대해 글의 내용과 맞는 것에는 ○표, <u>틀린</u> 것에는 ✕표 하세요.

세부
내용

(a) Antonio의 작업장에서 살았다. _____

(b) 매일 밤 바이올린을 만들었다. _____

(c) 작은 상자를 발견했지만 그것을 열지 못했다. _____

3 글에 등장하는 단어로 빈칸을 채워 보세요.

세부
내용

> Poppy tried to play Antonio's _____ⓐ_____, but it was too
> _____ⓑ_____ for her.
>
> Poppy는 Antonio의 _____ⓐ_____을[를] 연주하려고 노력했지만, 그것은 그녀에게 너무
> _____ⓑ_____.

ⓐ: _____   ⓑ: _____

4 밑줄 친 ⓐ it이 가리키는 것을 글에서 찾아 쓰세요. (4단어)

세부
내용

_____

Build Up   아래 인물을 설명하는 내용에 알맞게 연결하세요.

● (A) was a little mouse.

● (B) made a tiny little violin.

1 Antonio ·

● (C) lived in Antonio's workshop.

● (D) was a violin maker.

2 Poppy ·

● (E) tried to play the violin every night.

STEP 3

Sum Up   이야기 순서에 맞게 빈칸에 번호를 쓰세요.

 **1** The violin was the perfect size for Poppy.

 **2** Antonio made a tiny little violin.

 **3** Poppy tried to play Antonio's big violin every night.

 **4** Antonio heard something and saw Poppy with his violin.

A 아래 그림에 알맞은 단어를 고르세요.

❶

☐ big
☐ little

❷

☐ put
☐ think

❸

☐ open
☐ live

B 주어진 단어의 알맞은 우리말 뜻을 찾아 연결하세요.

❶ workshop •   • 노력하다

❷ something •   • 작업장

❸ size •   • 어떤 것

❹ try •   • 크기

C 우리말 해석에 맞도록 <보기>에서 알맞은 단어를 골라 빈칸에 쓰세요.

> 보기   live   finished   perfect

❶ 나는 학교에서 숙제를 끝냈다.

→ I _____ my homework at school.

❷ 우리는 부산에 산다.

→ We _____ in Busan.

❸ 캠핑하기에 완벽한 날이다.

→ It is a _____ day for camping.

04 Antonio Stradivari

Antonio Stradivari was a **famous** violin maker. He made many violins in the 17th and 18th centuries. During his **life**, he made about 960 violins. Many violinists wanted to have his violins. They made perfect **sound**. But there were fake *Stradivarii, too. Some people **lied**, sold fake ones, and made money.

Today, you can still find fake and real Stradivarii. There are about 450 real violins. They are really **expensive**. **The cheapest** one costs about one million dollars!

*Stradivarius(복 Stradivarii) 스트라디바리우스 ((Stradivari가 제작한 현악기))

●● **주요 단어와 표현**

century 세기, 100년   during ~ 동안   about 약, 대략   fake(↔ real) 가짜의, 위조의(↔ 진짜의, 진품의)   sell(- sold) 팔다
make money(- made money) 돈을 벌다   today 오늘날   still 여전히   really 아주, 정말   cost (값·비용이) ~이다, 들다
million 100만   dollar 달러

Check Up

정답과 해설 p.39

1 이 글은 무엇에 대해 설명하는 내용인가요?

중심
생각

① Stradivari의 일생

② Stradivari의 바이올린

③ 가짜 스트라디바리우스의 특징

2 글의 내용과 맞는 것에는 ○표, 틀린 것에는 ✕표 하세요.

세부
내용

(a) Stradivari는 900개 이상의 바이올린을 제작했다. _____

(b) 어떤 사람들은 가짜 스트라디바리우스를 팔았다. _____

(c) 진짜 스트라디바리우스는 현재 남아 있지 않다. _____

3 Stradivari의 바이올린에 대해 글에 없는 내용을 고르세요.

세부
내용

① 제작 시기   ② 재료   ③ 가격

4 글에 등장하는 단어로 빈칸을 채워 보세요.

세부
내용

> Antonio Stradivari was a _____ⓐ_____ violin maker and made
> about 960 violins during his _____ⓑ_____.
> Antonio Stradivari는 _____ⓐ_____ 바이올린 제작자였으며, 그의 _____ⓑ_____ 동안 약
> 960개의 바이올린을 제작했다.

ⓐ: _____   ⓑ: _____

STEP 2 Build Up   주어진 질문에 알맞은 대답을 연결하세요.

Question | 질문

Answer | 대답

1 When did Stradivari make violins?

2 How many violins did Stradivari make?

3 How much do Stradivari violins cost?

(A) The cheapest one costs about one million dollars.

(B) He made violins in the 17th and 18th centuries.

(C) He made about 960 violins during his life.

STEP 3 Sum Up   빈칸에 알맞은 단어를 <보기>에서 찾아 쓰세요.

> 보기   real   sound   violinists   expensive   famous

Antonio Stradivari was a ⓐ _____ violin maker. Many ⓑ _____ wanted to have his violins. They made perfect ⓒ _____ . Today, there are about 450 ⓓ _____ Stradivari violins. They are really ⓔ _____ .

A 아래 그림에 알맞은 단어를 고르세요.

❶  ❷  ❸

☐ fake   ☐ sound   ☐ cheap
☐ famous   ☐ century   ☐ expensive

B 주어진 단어의 알맞은 우리말 뜻을 찾아 연결하세요.

❶ life ·   · 진짜의

❷ real ·   · 팔다

❸ sell ·   · 일생, 생애

❹ million ·   · 100만

C 우리말 해석에 맞도록 <보기>에서 알맞은 단어를 골라 빈칸에 쓰세요.

> 보기   famous   lied   expensive

❶ Sarah는 유명한 바이올린 연주자이다.

→ Sarah is a _____ violinist.

❷ 내 남동생이 내게 거짓말을 했다.

→ My brother _____ to me.

❸ 그 부자는 값비싼 옷을 입는다.

→ The rich man wears _____ clothing.

Places

PEOPLE 01

태국에 유명한 벽화 마을이 있어요. 아주 오래된 마을이었지만 지금은 많은 관광객들이 방문하는 주요 관광지가 되었답니다.

The Rainbow Village

village	뎽 마을
interesting	톙 흥미로운, 재미있는
stay (- stayed)	동 머무르다, 남다
bored	톙 지루해하는, 따분해하는
save (- saved)	동 구하다
still	틘 여전히, 아직도

TRAVEL 02

터키의 파묵칼레(Pamukkale)는 경사면을 흐르는 온천수가 만들어낸 장관으로 유명한 곳이에요.

Amazing Pamukkale

amazing	톙 놀라운, 굉장한
trip	뎽 여행 *on a trip 여행을 떠나
mean (- meant)	동 의미하다
take off (- took off)	(옷·신발 등을) 벗다
soft	톙 부드러운, 푹신한
hard	톙 딱딱한, 단단한
hurt (- hurt)	동 아프다

WORLD 03

이탈리아 북부에 위치한 이 마을의 집들은 절벽 위에 상자를 쌓은 것처럼 촘촘하게 지어져 있어요.

Welcome to Manarola!

down	전 (높은 데서) 아래로
colorful	형 알록달록한, 화려한
top	명 꼭대기, 맨 위 (부분)
watch out (- watched out)	경계하다, 주의하다 *watch out for ~에 대해 경계하다, 주의하다
miss (- missed)	동 (못 보고 듣고) 놓치다
view	명 전망, 경관

PLACE 04

'가장 위험한 시장'으로 알려진 이곳은 겉보기에는 다른 시장들과 다를 게 없는 모습이지만, 하루에 네 번 아찔한 광경이 펼쳐진다고 해요.

A Special Market

train	명 기차, 열차
next to	전 ~의 바로 옆에
close	부 가까이
touch (- touched)	동 만지다, (손 등을) 대다
pass (- passed)	동 지나가다, 통과하다 *pass through 통과하다 *pass by 옆을 지나다
make way (- made way)	비켜 주다

The Rainbow Village

September 15th

Today, my class visited the Rainbow **Village**. We heard an **interesting** story about the place.

It was an old village at first. Then the city decided to build new buildings. Everyone left the village. But only one old man **stayed**. Soon he got **bored**. He painted on his home and others. One day, students from nearby universities saw his artwork. They wanted to **save** the village. In the end, they saved 11 homes. Now many people visit the village. And the old man, now Grandpa Rainbow, **still** lives in it.

●● ● **주요 단어와 표현**

rainbow 무지개   September 9월   visit(- visited) 방문하다   hear(- heard) 듣다   place 장소, 곳   old(↔ new) 오래된; 늙은(↔ 새로운)   at first 처음에는   decide to(- decided to) ~하기로 결정하다   build 짓다   building 건물   leave(- left) 떠나다   only 오직 ~만   soon 곧   get(- got) (어떤 상태가) 되다   paint(- painted) 그림을 그리다   nearby 근처의   university 대학교   artwork 예술 작품   in the end 마침내, 결국

Check Up

1 이 글의 유형으로 가장 알맞은 것을 고르세요.

중심
생각

① 편지   ② 일기   ③ 초대장

2 이 글의 알맞은 제목을 고르세요.

중심
생각

① 무지개 뜬 소풍날   ② Rainbow 마을의 탄생   ③ 오래된 것과 새것의 조화

3 글의 내용과 맞는 것에는 ○표, **틀린** 것에는 ✕표 하세요.

세부
내용

(a) 글쓴이는 혼자 Rainbow 마을을 방문했다.   _____

(b) 근처의 대학생들은 마을에 새 건물들을 짓는 걸 반대했다.   _____

(c) Grandpa Rainbow는 아직 Rainbow 마을에서 산다.   _____

4 Grandpa Rainbow가 그림을 그린 이유를 고르세요.

세부
내용

① 그림 그리는 게 재미있어서

② 혼자 마을에 남아 지루해서

③ 사라지는 마을을 지키기 위해서

5 글에 등장하는 단어로 빈칸을 채워 보세요.

중심
생각

An old man painted on his _____ⓐ_____ and others in an old village. Now many people _____ⓑ_____ the village.

한 노인이 오래된 마을에 있는 자신의 _____ⓐ_____와[과] 다른 집들에 그림을 그렸다. 이제 많은 사람들이 그 마을을 _____ⓑ_____.

ⓐ: _____   ⓑ: _____

STEP 2
Build Up   빈칸에 알맞은 단어를 <보기>에서 찾아 쓰세요.

보기   left   stayed   saved   visit   build

The city decided to **a** _____ new buildings.

↓

Everyone **b** _____ the village.

↓

One old man **c** _____ and painted.

↓

Students from nearby universities saw his artwork and **d** _____ 11 homes.

↓

Now many people **e** _____ the village.

STEP 3
Sum Up   빈칸에 알맞은 단어를 <보기>에서 찾아 쓰세요.

보기   bored   still   village   interesting

There is an **a** _____ story about the Rainbow Village. Many people visit it now, but it was an old **b** _____ at first. Only one old man stayed when everyone left. He was **c** _____ and painted on his home and others. In the end, because of his paintings, people saved 11 homes. The old man **d** _____ lives in the village.

A 아래 그림에 알맞은 단어를 고르세요.

❶

☐ bored
☐ interesting

❷

☐ village
☐ rainbow

❸

☐ save
☐ paint

B 주어진 단어의 알맞은 우리말 뜻을 찾아 연결하세요.

❶ visit ・   ・ 건물

❷ still ・   ・ 장소, 곳

❸ place ・   ・ 방문하다

❹ building ・   ・ 여전히

C 우리말 해석에 맞도록 <보기>에서 알맞은 단어를 골라 빈칸에 쓰세요.

> 보기   bored   stay   village

❶ 그 마을에는 집이 열 채 있다.

→ There are ten houses in the   .

❷ 그는 수업 시간에 지루해 보였다.

→ He looked   in class.

❸ 집에 머물자. 비가 오고 있어.

→ Let's   at home. It's raining.

Amazing Pamukkale

My family is **on a trip**. We visited Pamukkale in Turkey today. Pamukkale **means** "cotton castle." It looks like snowy white cotton.

Pamukkale is a *World Heritage Site. So we **took off** our shoes and entered. The floor looked like snow. But it didn't feel **soft**. It was very **hard** because it was **limestone. The floor was very rough, and my feet **hurt**. There were natural swimming pools. They looked like stairs. Pamukkale was **amazing**.

*World Heritage Site 세계문화유산
**limestone 석회석

●● 주요 단어와 표현

Turkey 터키　cotton 목화; 솜　castle 성　look like(- looked like) ~처럼 보이다　snowy 눈과 같은　enter (- entered) 들어가다　floor 바닥　feel ~한 느낌이 들다　rough 울퉁불퉁한　foot 발 *feet 발들　natural 천연의, 자연의　swimming pool 수영장　stair 계단

Check Up

1 이 글은 어떤 내용의 글인가요?

중심
생각

① 관광지를 홍보하는 글

② 인물의 업적을 알리는 글

③ 여행 체험을 기록한 글

2 글의 내용과 맞는 것에는 ○표, **틀린** 것에는 ✕표 하세요.

세부
내용

(a) 글쓴이의 가족은 터키로 여행을 떠났다. _____

(b) Pamukkale는 '목화 성'이라는 의미이다. _____

(b) Pamukkale는 신발을 신고 입장할 수 있다. _____

3 Pamukkale의 바닥에 대해 글의 내용과 **틀린** 것을 고르세요.

세부
내용

① 눈처럼 하얗다.   ② 부드럽다.   ③ 석회석이다.

4 글에 등장하는 단어로 빈칸을 채워 보세요.

중심
생각

> Pamukkale means "cotton ____ⓐ____," and it looks like snowy
> ____ⓑ____ cotton.
>
> Pamukkale는 '목화 ____ⓐ____'을 뜻하며, 그것은 눈처럼 ____ⓑ____ 솜같이 보인다.

ⓐ: _____   ⓑ: _____

Build Up   주어진 질문에 알맞은 대답을 연결하세요.

Question | 질문

1. What does "Pamukkale" mean?

2. What does the place look like?

3. What is the floor like?

Answer | 대답

(A) The place looks like snowy white cotton.

(B) It is hard and rough. It's limestone.

(C) It means "cotton castle."

Sum Up   빈칸에 알맞은 단어를 <보기>에서 찾아 쓰세요.

보기   natural   looks like   soft   take off

Pamukkale is a World Heritage Site in Turkey. When you enter, **a** _____ your shoes. The floor **b** _____ snow, but it doesn't feel **c** _____ because it is limestone. You can see **d** _____ swimming pools here.

You will love Pamukkale. Come and enjoy this amazing place!

A 아래 그림에 알맞은 단어를 고르세요.

❶

☐ soft
☐ hard

❷

☐ enter
☐ take off

❸

☐ cotton
☐ castle

B 주어진 단어의 알맞은 우리말 뜻을 찾아 연결하세요.

❶ trip   •   • 천연의

❷ hurt   •   • 계단

❸ stair   •   • 아프다

❹ natural •   • 여행

C 우리말 해석에 맞도록 <보기>에서 알맞은 단어를 골라 빈칸에 쓰세요.

보기	amazing mean soft

❶ 내 새 스웨터는 부드러운 느낌이 들지 않는다.

   → My new sweater doesn't feel   .

❷ 그의 예술 작품은 놀랍다.

   → His artwork is   .

❸ 이 표지판은 무엇을 의미하니?

   → What does this sign   ?

Welcome to Manarola!

"Welcome to Manarola! My name is Marco. I will be your guide today. Can you see the sea **down** there? We are now about 70 meters above sea level. Manarola's **colorful** houses are facing the sea. First we'll go to the **top** of the town. You'll see an old church. Long ago, people **watched out for** pirates from there. After that, we'll have lunch at a seaside restaurant. Don't **miss** the **view** of the sea. Enjoy Manarola. You'll never forget this place."

● ● **주요 단어와 표현**

Welcome to ~! ~에 오신 것을 환영합니다!   guide 여행 안내원, 가이드   about 약, 대략   above ~의 위에   sea level 해수면 ((바닷물의 표면))   face ~을 향하다   town 마을   church 교회   pirate 해적   seaside 해변, 바닷가   restaurant 식당   never 절대 ~ 않다   forget 잊다

Check Up

정답과 해설 p.47

1

이 글은 어떤 내용의 글인가요?

① 여행 상품을 홍보하는 글

② 여행 일정을 안내하는 글

③ 유적지 역사를 설명하는 글

2

글의 내용과 맞는 것에는 ○표, 틀린 것에는 ✕표 하세요.

(a) Marco는 여행 안내원이다. _____

(b) 여행을 온 관광객들은 지금 마을 꼭대기에 와 있다. _____

(c) 마을의 집들이 바다를 향하고 있다. _____

3

글에 등장하는 교회에 대한 설명 중 틀린 것을 고르세요.

① 마을의 꼭대기에 있다.

② 해적들을 경계하던 곳이었다.

③ 지금은 식당으로 쓰인다.

4

글에 등장하는 단어로 빈칸을 채워 보세요.

> We'll go to the _____ⓐ_____ of the town, and then we'll have _____ⓑ_____ at a seaside restaurant.
>
> 우리는 마을 _____ⓐ_____로 갈 것이며, 그리고 나서 해변 식당에서 _____ⓑ_____을[를] 먹을 것이다.

ⓐ: _____   ⓑ: _____

Build Up 빈칸에 알맞은 단어를 <보기>에서 찾아 쓰세요.

보기	lunch church houses top

Manarola Day Tour : Day 1		
Time	**Place**	**Activity**
10:00 a.m.	The town	Look around the town and the colorful (a) _____ .
10:30 a.m.	The (b) _____ of the town	Visit the old (c) _____ .
12:00 p.m.	A seaside restaurant	Have (d) _____ .

Sum Up 문장에 알맞은 단어를 골라 Manarola에 대한 내용을 완성하세요.

| Manarola |

- It is about 70 (a) [meters   kilometers] above sea level.
- There are many (b) [old   colorful] houses.
- An old church is at the (c) [top   seaside] of the town.
- Many houses and restaurants are facing the (d) [mountain   sea] .

Look Up

A 아래 그림에 알맞은 단어를 고르세요.

1

☐ old
☐ colorful

2

☐ top
☐ sea

3

☐ view
☐ guide

B 주어진 단어의 알맞은 우리말 뜻을 찾아 연결하세요.

1 miss •　　　• 경계하다

2 watch out •　　　• 잊다

3 seaside •　　　• 놓치다

4 forget •　　　• 해변

C 우리말 해석에 맞도록 <보기>에서 알맞은 단어를 골라 빈칸에 쓰세요.

> **보기**　　　colorful　　down　　top

1 그는 나무 꼭대기까지 올라갔다.

→ He climbed to the ＿＿＿＿＿ of the tree.

2 그 돌은 언덕 아래로 굴렀다.

→ The stone rolled ＿＿＿＿＿ the hill.

3 이 화려한 꽃들 좀 보세요.

→ Look at these ＿＿＿＿＿ flowers.

04 A Special Market

Maeklong Railway Market is very special. A **train** goes through the market! People sell things right **next to** the tracks. The train comes very **close**. So you can **touch** the train. You can see such a market only in Thailand.

How can the train **pass through**? ⓐ <u>A bell rings</u>. Then people move things away. They **make way** for the train. A few minutes later, the train comes. Visitors stop and wait. The train **passes by**.

● ● **주요 단어와 표현**

special 특별한   market 시장   railway 기찻길, 철로   through ~을 통해, ~을 지나서   sell 팔다   thing 물건   right 바로   track 기찻길, 선로   such 그러한   Thailand 태국   bell 종   ring 울리다   move A away A를 옮기다   a few minutes later 몇 분 뒤, 몇 분 후   visitor 방문자   stop 멈추다, 서다   wait 기다리다

Check Up

정답과 해설 p.49

1 이 글의 알맞은 제목을 고르세요.

중심
생각

① 특별한 기차 여행

② 특별한 기찻길 시장

③ 세계의 특이한 시장들

2 Maeklong 기찻길 시장에 대해 맞는 것에는 〇표, 틀린 것에는 ✕표 하세요.

세부
내용

(a) 태국에 있다. _____

(b) 기차는 시장을 통과하지 않는다. _____

(c) 기차 안에서 물건을 판다. _____

3 글의 밑줄 친 ⓐ A bell rings.의 이유를 고르세요.

세부
내용

① 시장이 열리는 것을 알리려고

② 기차가 오는 것을 알리려고

③ 관광객을 불러 모으기 위해서

4 글에 등장하는 단어로 빈칸을 채워 보세요.

중심
생각

A _____ⓐ_____ goes through Maeklong Railway Market. People sell things right _____ⓑ_____ the tracks.

_____ⓐ_____은[는] Maeklong 기찻길 시장을 통해 간다. 사람들은 기찻길 바로 _____ⓑ_____ 물건을 판다.

ⓐ: _____   ⓑ: _____

STEP 2 Build Up 빈칸에 알맞은 단어를 <보기>에서 찾아 쓰세요.

보기   passes   train   wait   make way

At Maeklong Railway Market, a bell rings.

↓

People move things away and (a) _____ for the train.

↓

A few minutes later, the (b) _____ comes.

↓

Visitors stop and (c) _____ .

↓

The train (d) _____ by.

STEP 3 Sum Up 빈칸에 알맞은 단어를 <보기>에서 찾아 쓰세요.

보기   touch   move   through   close   bell

June 11th

Today I visited Maeklong Railway Market in Thailand. It was different from other markets. A train goes (a) _____ it. I saw many things next to the tracks. Then, I heard a (b) _____ . People started to (c) _____ things away and the train came. I stopped and waited. The train came so (d) _____ . I could (e) _____ the train.

Look Up

A 아래 그림에 알맞은 단어를 고르세요.

❶

☐ train
☐ market

❷

☐ bell
☐ railway

❸

☐ pass
☐ touch

B 주어진 단어의 알맞은 우리말 뜻을 찾아 연결하세요.

❶ next to •

❷ through •

❸ track •

❹ make way •

• 비켜 주다

• 기찻길

• ~을 통해

• ~의 바로 옆에

C 우리말 해석에 맞도록 <보기>에서 알맞은 단어를 골라 빈칸에 쓰세요.

보기	close touch train

❶ 우리는 서울에 기차를 타고 갈 것이다.

→ We will take a _____ to Seoul.

❷ 저 냄비 만지지 마. 뜨거워.

→ Don't _____ that pot. It's hot.

❸ 학교는 공원에서 가깝다.

→ The school is _____ to the park.

MEMO

MEMO

왓츠 Grammar

왓츠그래머 시리즈로 영문법의 기초를 다져보세요!

1 초등 교과 과정에서 필수인 문법 사항 총망라
2 세심한 난이도 조정으로 학습 부담은 DOWN
3 중, 고등 문법을 대비하여 탄탄히 쌓는 기초

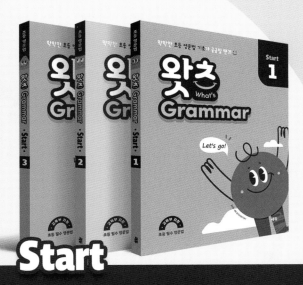

Start

아이들이 영문법을 처음 접한다면?

초등 저학년을 위한 기초 문법서

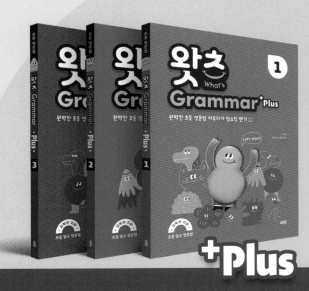

+Plus

기초 문법 개념을 한 바퀴 돌렸다면?

초등 고학년을 위한 기초 & 심화 문법서

초등학생을 위한 필수 기초 & 심화 문법

1

초등 기초 & 심화 문법
완성을 위한 3단계 구성

2

누적·반복 학습이 가능한
나선형 커리큘럼

3

쉽게 세분화된 문법 항목과
세심하게 조정된 난이도

4

유닛별 누적 리뷰 테스트와
파이널 테스트 2회분 수록

5

워크북과 단어쓰기
연습지로 완벽하게 복습

쎄듀북닷컴(www.cedubook.com)에서 부가 자료를 무료로 다운로드할 수 있습니다.

CEDU BOOK 쎄듀

Words
70 B

왓츠
리딩
What's Reading

WORKBOOK

쎄듀

Let's Start Reading!

김기훈 | 쎄듀 영어교육연구센터

Words

70 B

WORKBOOK

01 Pizza for Dinner

A 주어진 의미에 맞는 단어를 <보기>에서 골라 빈칸을 채우세요.

보기	have favorite dinner love order add

동사 1. 먹다 　　2. 가지고 있다	Did you ❶ _____ breakfast this morning? 너는 오늘 아침에 아침밥을 먹었니?
동사 1. 매우 좋아하다 　　2. 사랑하다	Most children ❷ _____ chocolate. 대부분의 아이들 초콜릿을 매우 좋아한다.
동사 1. 주문하다 　　2. 명령하다 명사 주문	Let's ❸ _____ some pizza. 피자를 좀 주문하자.
동사 더하다, 추가하다	Don't ❹ _____ any sugar. 설탕을 조금이라도 더하지 마라.
형용사 가장 좋아하는	What's your ❺ _____ food? 네가 가장 좋아하는 음식은 무엇이니?
명사 저녁 식사	We invited our uncle for ❻ _____. 우리는 저녁 식사에 삼촌을 초대했다.

B 주어진 단어의 알맞은 우리말 뜻을 찾아 연결하세요.

❶ look at　　•　　　　•　고르다, 선택하다

❷ pick　　•　　　　•　오늘 밤

❸ tonight　　•　　　　•　~을 보다

C 아래 문장에서 주어에는 ○표, 동사에는 밑줄을 치세요.

> 보기 (I) <u>am</u> ready to order!

❶ Dad loves olives and onions.

❷ Mom doesn't like it on pizza.

❸ First, I can't pick pineapple.

❹ My brother likes sausage, and my favorite topping is pepperoni.

D 주어진 우리말과 뜻이 같도록 문장을 완성해 보세요.

❶ 오늘 밤에, / 나의 가족은 저녁 식사로 피자를 먹을 것이다.

→ Tonight, / _____.

(for dinner / will have / my family / pizza)

❷ 나의 가족 모두는 치즈를 매우 좋아한다.

→ _____.

(cheese / everyone in my family / loves)

❸ 나는 더 많은 치즈를 추가할 것이다.

→ _____.

(cheese / will add / more / I)

❹ 이 피자는 완벽해 보인다 / 나의 가족에게.

→ _____ / for my family.

(perfect / seems / pizza / this)

02 Rossi's Pizza

A 주어진 의미에 맞는 단어를 <보기>에서 골라 빈칸을 채우세요.

> 보기   real   secret   large   special   bake   delicious

동사 (음식을) 굽다	I like to ❶ _____ cookies. 나는 쿠키를 <u>굽는</u> 것을 좋아한다.
형용사 특별한, 특수한	My mom has a ❷ _____ recipe. 엄마는 <u>특별한</u> 요리법을 가지고 있으시다.
형용사 비밀의	I send ❸ _____ messages to my friends. 나는 내 친구들에게 <u>비밀</u> 메세지를 보낸다.
형용사 맛있는	This pie is so ❹ _____. 이 파이는 정말 <u>맛있어</u>.
형용사 큰, 커다란	An elephant has two ❺ _____ ears. 코끼리는 두 개의 <u>큰</u> 귀를 갖고 있다.
형용사 진짜의	Are those flowers ❻ _____? 저 꽃들은 <u>진짜</u>이니?

B 주어진 단어의 알맞은 우리말 뜻을 찾아 연결하세요.

❶ medium   •   • 또한

❷ restaurant   •   • 레스토랑, 식당

❸ also   •   • 중간의

C 아래 문장에서 주어에는 ○표, 동사에는 밑줄을 치세요.

> 보기 (Rossi's Pizza) has a grand opening on May 13th.

1 We bake pizzas in a special brick oven.

2 Rossi's Pizza is a fun family-style restaurant.

3 A small Meat Lover's pizza is $11.50.

4 Pepperoni Lover's Pizza has extra pepperoni plus cheese.

D 주어진 우리말과 뜻이 같도록 문장을 완성해 보세요.

1 당신은 Rossi's Pizza를 매우 좋아할 것이다!

→ _____!

(Rossi's Pizza / you / love / will)

2 Rossi's Pizza는 진짜 이탈리아 방식의 피자가 있다.

→ _____.

(Rossi's Pizza / has / pizzas / real Italian-style)

3 들어와라 // 그리고 Rossi의 비법 소스를 먹어 봐라.

→ Come in // _____.

(try / and / Rossi's secret sauce)

4 당신은 또한 전화할 수 있다 / 배달 주문을 위해.

→ _____ / for deliveries.

(call / you / can also)

03 The First Pizza

A 주어진 의미에 맞는 단어를 <보기>에서 골라 빈칸을 채우세요.

| 보기 | poor   city   popular   put   look like   cook |

[동사] 놓다, 두다, 얹다	Where did you ❶_____ my watch? 너는 내 손목시계를 어디에 <u>두었니</u>?
[형용사] 가난한	He helps ❷_____ people. 그는 <u>가난한</u> 사람들을 돕는다.
[형용사] 인기 있는	This cellphone is ❸_____. 이 휴대폰은 <u>인기가 있다</u>.
[명사] 도시	Many tourists visit this ❹_____ every year. 매년 많은 관광객들이 이 <u>도시를</u> 방문한다.
[명사] 요리사	She wants to be a ❺_____. 그녀는 <u>요리사가</u> 되고 싶어 한다.
~처럼 보이다	Some mushrooms ❻_____ flowers. 어떤 버섯들은 꽃<u>처럼 보인다</u>.

B 주어진 단어의 알맞은 우리말 뜻을 찾아 연결하세요.

❶ become   •   •   새로운

❷ flag   •   •   ~해지다

❸ new   •   •   기, 깃발

C 아래 문장에서 주어에는 ○표, 동사에는 밑줄을 치세요.

> 보기   (Poor people) <u>put</u> tomatoes on flatbread.

❶ "Margherita" was a new pizza.

❷ The queen loved the pizza.

❸ Pizza began like that.

❹ The pizza had red tomatoes, white cheese, and green basil.

D 주어진 우리말과 뜻이 같도록 문장을 완성해 보세요.

❶ 이탈리아의 왕과 왕비가 한 도시를 방문했다.

→ _____.

(visited / the king and queen of Italy / a city)

❷ 요리사는 'Margherita'를 만들었다 / 'Margherita' 왕비를 위해서.

→ _____ / for the queen "Margherita."

("Margherita" / a cook / made)

❸ 그 피자는 이탈리아 국기처럼 보였다.

→ _____.

(the Italian flag / looked like / the pizza)

❹ 그 새로운 피자는 인기를 얻었다 / 'Margherita 피자'로.

→ _____ / as "Pizza Margherita."

(popular / became / the new pizza)

04 The Hen's Pizza

A 주어진 의미에 맞는 단어를 <보기>에서 골라 빈칸을 채우세요.

보기	see ask outside buy store together

동사 묻다, 물어보다	Can I ❶ _____ a question? 질문 하나 물어봐도 되나요?
동사 (눈으로) 보다	I can't ❷ _____ anything. 난 아무것도 볼 수 없어.
동사 사다, 구입하다	Where did you ❸ _____ the dress? 그 원피스 어디에서 샀니?
명사 상점, 가게	That ❹ _____ sells many fruits. 그 상점은 많은 과일을 판다.
전치사 ~의 밖에	The children are playing ❺ _____ the classroom. 아이들은 교실 밖에서 놀고 있다.
부사 함께, 같이	We watch soccer games ❻ _____. 우리는 함께 축구 경기를 본다.

B 주어진 단어의 알맞은 우리말 뜻을 찾아 연결하세요.

❶ call   •   • 말하다

❷ say   •   • 돌아오다

❸ come back   •   • 부르다

C 아래 문장에서 주어에는 ○표, 동사에는 밑줄을 치세요.

> 보기   (They) said yes.

❶ She bought flour.

❷ They enjoyed the pizza together.

❸ The hen went to the store.

❹ We can do the dishes.

D 주어진 우리말과 뜻이 같도록 문장을 완성해 보세요.

❶ 그녀는 그녀의 친구들을 보았다 / 그녀의 집 밖에 있는.

→ _____ / outside her house.

(her friends / she / saw)

❷ 그녀는 그녀의 친구들에게 물었다. // "피자를 좀 먹을래?"

→ She asked her friends, / " _____?"

(do / you / some pizza / want)

❸ 암탉이 물었다, // "너희들이 설거지를 해줄 수 있니?"

→ The hen asked, // " _____?"

(you / do / the dishes / can)

❹ "그래, 할 수 있지! 피자 고마워!"

→ "Yes, we can! _____!"

(the pizza / for / thanks)

Pants for Change!

A 주어진 의미에 맞는 단어를 <보기>에서 골라 빈칸을 채우세요.

보기	dress pants early arrive listen walk

동사 걷다, 걸어가다	Let's ❶ _____ to the park. 공원으로 <u>걸어가자</u>.
동사 듣다, 귀를 기울이다	My friends always ❷ _____ to me. 나의 친구들은 항상 나의 말에 <u>귀를 기울인다</u>.
동사 도착하다	Dad will ❸ _____ home soon. 아빠는 곧 집에 <u>도착하실</u> 것이다.
명사 원피스, 드레스	Jane went to school in a ❹ _____. Jane은 <u>원피스</u>를 입고 학교에 갔다.
명사 바지	These ❺ _____ are too tight. 이 <u>바지</u>는 너무 꽉 조여.
부사 일찍	Mike wakes up ❻ _____ in the morning. Mike는 아침 <u>일찍</u> 일어난다.

B 주어진 단어의 알맞은 우리말 뜻을 찾아 연결하세요.

❶ wear   •   • 다른

❷ different   •   • 입다

❸ fast   •   • 빠르게

C 아래 문장에서 주어에는 ○표, 동사에는 밑줄을 치세요.

> 보기 (Anne) was different.

1 She wanted to wear pants.

2 Pants were more comfortable.

3 Girls don't wear pants.

4 At school, students and teachers were surprised, too.

D 주어진 우리말과 뜻이 같도록 문장을 완성해 보세요.

1 오래 전에, / 여자아이들은 원피스만 입었다, / 바지가 아닌.

→ Many years ago, / _____, / not pants.

(dresses / only wore / girls)

2 사람들은 그녀를 보았다, // 그리고 그들은 놀랐다!

→ People saw her, // and _____!

(were / surprised / they)

3 너는 왜 남자아이들이 입는 바지를 입고 있니?

→ _____ boys' pants?

(why / wearing / are / you)

4 그녀는 빠르게 걸을 수 있었다 / 바지를 입고서.

→ _____ / in pants.

(could / fast / she / walk)

02 Margaret the Painter

A 주어진 의미에 맞는 단어를 <보기>에서 골라 빈칸을 채우세요.

보기	need paint painter painting hide truth

[동사] 필요로 하다	Plans ❶ _____ water. 식물은 물을 <u>필요로 한다</u>.
[동사] 숨다	He wants to ❷ _____ in his room. 그는 그의 방 안에 <u>숨고</u> 싶어 한다.
[동사] 그림을 그리다	I like to ❸ _____ in my free time. 나는 여가 시간에 <u>그림 그리는</u> 것을 좋아한다.
[명사] 그림	I like your ❹ _____. 나는 네 <u>그림</u>이 마음에 들어.
[명사] 화가	Picasso was a great ❺ _____. Picasso는 위대한 <u>화가</u>였다.
[명사] 사실, 진실	Sara wanted to tell the ❻ _____. Sara는 <u>사실</u>을 말하고 싶었다.

B 주어진 단어의 알맞은 우리말 뜻을 찾아 연결하세요.

❶ all day long •   • 인터뷰

❷ interview •   • 하루 종일

❸ job •   • 직업, 일자리

C 아래 문장에서 주어에는 ○표, 동사에는 밑줄을 치세요.

> 보기 (Margaret) <u>drew</u> people on the street.

1 She hid and painted all day long.

2 Margaret painted at home, and Walter sold her paintings.

3 She had a daughter and needed money.

4 At that time, a woman couldn't get a job easily.

D 주어진 우리말과 뜻이 같도록 문장을 완성해 보세요.

1 나중에, / 그녀는 Walter를 만났다 // 그리고 그들은 결혼했다.

→ Later, / she met Walter, // _____.

(they / married / and)

2 그녀의 그림들은 인기를 얻게 되었다.

→ _____.

(her paintings / popular / became)

3 Margaret은 사실을 말할 수 없었다.

→ _____.

(tell / couldn't / the truth / Margaret)

4 몇 년 후, / 그녀는 숨는 것을 그만두었다.

→ A few years later, / _____.

(stopped / she / hiding)

03 Letter to the School

A 주어진 의미에 맞는 단어를 <보기>에서 골라 빈칸을 채우세요.

| 보기 | problem   help   hurt   well   share   too |

[동사] 다치게 하다	I ❶ _____ my knee. 나는 내 무릎을 다쳤다.
[동사] 함께 나누다	Let's ❷ _____ some ideas. 몇 가지 아이디어를 함께 나누자.
[명사] 도움 [동사] 돕다	Do you need any ❸ _____? 너는 도움이 좀 필요하니?
[명사] 문제	There is no ❹ _____ in school. 학교에 문제가 없다.
[부사] 너무 ~한	He drives ❺ _____ fast. 그는 너무 빨리 운전한다.
[부사] 잘, 좋게	Mary dances very ❻ _____. Mary는 춤을 매우 잘 춘다.

B 주어진 단어의 알맞은 우리말 뜻을 찾아 연결하세요.

❶ idea   •   •   생각

❷ hear   •   •   교장

❸ principal   •   •   듣다

C 아래 문장에서 주어에는 ○표, 동사에는 밑줄을 치세요.

> 보기 (Our school) <u>can do</u> better!

❶ He hurt his leg last week.

❷ We can share more ideas.

❸ I have a friend, and his name is Andy.

❹ My name is Mary Wilson, and I am in the 4th grade.

D 주어진 우리말과 뜻이 같도록 문장을 완성해 보세요.

❶ 그는 도움을 받는다 / 그의 친구들로부터.

→ _____ / from his friends.

(help / gets / he)

❷ 하지만 나는 몇 가지 문제점들을 발견했다 / 우리 학교가 가진.

→ But _____ / with our school.

(some problems / I / found)

❸ 교실문들이 너무 작다 / 휠체어에 비해.

→ _____ / for wheelchairs.

(too / are / small / the classroom doors)

❹ 나는 당신으로부터 듣기를 희망한다 / 곧.

→ _____ / soon.

(hope / I / from you / to hear)

CHAPTER 2.
04 Games for Everyone

A 주어진 의미에 맞는 단어를 <보기>에서 골라 빈칸을 채우세요.

보기   event   give   player   end   important   understand

동사 주다	I will **1**＿＿＿＿＿＿＿ this book to you. 나는 네게 이 책을 줄게.
동사 이해하다, 알다	I **2**＿＿＿＿＿＿＿ her feelings. 나는 그녀의 기분을 <u>이해한다</u>.
형용사 중요한	Worms are **3**＿＿＿＿＿＿＿ for plants. 지렁이는 식물에게 <u>중요하다</u>.
명사 행사, 사건	Sports day is a big school **4**＿＿＿＿＿＿＿. 운동회는 큰 학교 <u>행사</u>이다.
명사 끝	He will wait until the **5**＿＿＿＿＿＿＿ of the concert. 그는 콘서트가 <u>끝</u>날 때까지 기다릴 것이다.
명사 (운동 경기의) 선수, 참가자	The soccer **6**＿＿＿＿＿＿＿ kicked the ball. 그 축구<u>선수</u>는 공을 찼다.

B 주어진 단어의 알맞은 우리말 뜻을 찾아 연결하세요.

1 arm ·   · ～ 후에, ～ 뒤에

2 with ·   · ～을 가진

3 after ·   · 팔

C 아래 문장에서 주어에는 ○표, 동사에는 밑줄을 치세요.

> 보기   (They) <u>start</u> after the end of the Olympic Games.

❶ The Paralympic Games are very important.

❷ Some have one arm or leg.

❸ All players, Paralympians, have disabilities.

❹ But they can still play sports.

D 주어진 우리말과 뜻이 같도록 문장을 완성해 보세요.

❶ 여름과 겨울 패럴림픽대회가 있다.

→ _____ Paralympic Games.

(are / and Winter / there / Summer)

❷ 어떤 이들은 앞을 볼 수 없다.

→ _____.

(some / see / cannot)

❸ 그것은 사람들에게 용기를 준다 / 장애를 가진.

→ They _____ / with disabilities.

(people / give / courage / to)

❹ 다른 사람들은 그들을 더 잘 이해할 수 있다.

→ _____.

(them / can understand / better / other people)

CHAPTER 3

01 Sports Day

A 주어진 의미에 맞는 단어를 <보기>에서 골라 빈칸을 채우세요.

| 보기 | place invite hope activity wear fun |

동사 바라다, 기대하다	I ❶ _____ to hear from you. 나는 네게서 소식을 듣기를 <u>바란다</u>.
동사 입고 있다, 신고 있다	I ❷ _____ my favorite shoes. 나는 내가 가장 좋아하는 신발을 <u>신는다</u>.
동사 초대하다	I want to ❸ _____ you to the party. 나는 너를 파티에 <u>초대하고</u> 싶다.
형용사 재미있는, 즐거운	This board game looks ❹ _____ . 이 보드게임은 <u>재미있어</u> 보인다.
명사 장소	There is no ❺ _____ like home. 집과 같은 <u>장소</u>는 없다.
명사 활동	My favoriteafter school ❻ _____ is tennis. 내가 가장 좋아하는 방과 후 <u>활동</u>은 테니스이다.

B 주어진 단어의 알맞은 우리말 뜻을 찾아 연결하세요.

❶ date •   • 운동장

❷ snack •   • 간식

❸ schoolyard •   • 날짜

C 아래 문장에서 주어에는 ○표, 동사에는 밑줄을 치세요.

> 보기   We hope to see you then.

❶ The place is Riverside Elementary School Schoolyard.

❷ We want to invite you to our Sports Day event.

❸ Parents wear white T-shirts, jeans, and running shoes.

❹ Activities are 100-meter race, ball passing, hula hoop, and races for parents.

D 주어진 우리말과 뜻이 같도록 문장을 완성해 보세요.

❶ 운동회 행사는 시작할 것이다 / 오전 9시에.

→ _____ / at 9 a.m.

(will / the Sports Day event/ start)

❷ 재미있는 활동들과 간식이 있을 것이다.

→ _____ .

(will be / and snacks / fun activities / there)

❸ 부모님들과 아이들은 운동화를 신을 것이다.

→ _____ running shoes.

(wear / parents / and children / will)

❹ 교무실로 전화해 주세요 / 201-300-4512번으로.

→ _____ / at 201-300-4512.

(call / the school office / please)

02 Who is the Winner?

A 주어진 의미에 맞는 단어를 <보기>에서 골라 빈칸을 채우세요.

보기	lose team first classmate win winner

명사 반 친구, 급우	Emily was my ❶ _____ last year. Emily는 작년에 나의 <u>반 친구</u>였다.
동사 1. (시합 등에서) 지다 　　 2. 잃어버리다	The Blue team will ❷ _____ the game. 청팀은 경기에서 <u>질</u> 것이다.
동사 1. (상품 등을) 이겨서 얻다 　　 2. 이기다	Korea will ❸ _____ a medal. 한국은 메달을 <u>이겨서 얻을</u> 것이다.
부사 첫 번째로, 1등으로 형용사 첫 번째의	I entered the room ❹ _____ . 내가 <u>첫 번째로</u> 방에 들어갔다.
명사 팀, 단체	He was in the soccer ❺ _____ . 그는 <u>축구팀</u>에 있었다.
명사 우승자, 승리자	Kevin is the ❻ _____ of the game. Kevin이 그 게임의 <u>우승자</u>이다.

B 주어진 단어의 알맞은 우리말 뜻을 찾아 연결하세요.

❶ game　　　　　•　　　　　•　열심히

❷ hard　　　　　•　　　　　•　모두

❸ everyone　　　•　　　　　•　경기

C 아래 문장에서 주어에는 ○표, 동사에는 밑줄을 치세요.

> 보기 (Today) <u>was</u> Sports Day.

❶ My class was in the White team.

❷ Everyone was a winner today!

❸ Our team lost the soccer final against the Red team.

❹ But the Blue team won the prize for the best cheer.

D 주어진 우리말과 뜻이 같도록 문장을 완성해 보세요.

❶ 나는 정말 재미있게 보냈다 / 나의 반 친구들과.

→ _____ / with my classmates.

(so much fun / had / I)

❷ 다른 세 팀이 있었다.

→ _____ .

(were / different teams / three / there)

❸ 하지만 우리는 첫 번째로 들어왔다 / 릴레이 경주에서.

→ _____ / in the relay race.

(we / but / came in / first)

❹ 우리는 우리 팀을 응원했다 / 매우 열심히.

→ _____ / very hard.

(we / our team / cheered for)

03 The Olympic Games

A 주어진 의미에 맞는 단어를 <보기>에서 골라 빈칸을 채우세요.

| 보기 | about   woman   start   hold   change   stop |

동사 변하다, 바뀌다	The truth won't **①** _____ over time. 진실은 시간이 지나도 <u>변하지</u> 않을 것이다.
동사 멈추다, 중단하다	Change the battery, or the clock will **②** _____. 배터리를 교체해라, 아니면 시계는 <u>멈출</u> 것이다.
동사 시작하다	The class will **③** _____ at 9 o'clock. 수업은 9시에 <u>시작할</u> 것이다.
동사 1. (행사 등을) 열다, 개최하다 2. (손 등으로) 잡다, 쥐고 있다	The city will **④** _____ a festival tomorrow. 그 도시는 내일 축제를 <u>개최할</u> 것이다.
전치사 ~에 대하여	The book was **⑤** _____ dinosaurs. 그 책은 공룡<u>에 대한</u> 것이었다.
명사 (성인) 여자, 여성	The **⑥** _____ sat on the sofa. 그 여자는 소파에 앉았다.

B 주어진 단어의 알맞은 우리말 뜻을 찾아 연결하세요.

① bring back   •   • 다시

② again   •   • 세기, 100년

③ century   •   • 다시 가져오다

C 아래 문장에서 주어에는 ○표, 동사에는 밑줄을 치세요.

> 보기　But now (everyone) <u>can</u>.

❶ The Olympics started again in 1896.

❷ The Olympic Games are an important festival.

❸ Over time, the Olympics changed.

❹ In old times, women couldn't play.

D 주어진 우리말과 뜻이 같도록 문장을 완성해 보세요.

❶ 사람들은 그 축제를 열었다 / 4년마다.

→ ＿＿＿＿＿＿＿＿＿＿＿＿＿＿＿ / every four years.

　(the festival / people / held)

❷ 올림픽대회는 다시 시작되었다 / 1896년에.

→ ＿＿＿＿＿＿＿＿＿＿＿＿＿＿＿ / in 1896.

　(again / the Olympics / started)

❸ 그는 사람들에게 말했다 / 스포츠의 중요성에 대해.

→ ＿＿＿＿＿＿＿＿＿＿＿ / about the importance of sports.

　(to people / he / talked)

❹ 또한, 겨울 대회가 있다.

→ Also, ＿＿＿＿＿＿＿＿＿＿＿＿＿＿＿.

　(the winter games / are / there)

04 The Olympic Flag

A 주어진 의미에 맞는 단어를 <보기>에서 골라 빈칸을 채우세요.

보기 part choose flag draw ring use

[동사] 고르다, 선택하다	I will ❶ red roses. 나는 붉은 장미를 <u>고를</u> 것이다.
[동사] 쓰다, 사용하다	Can I ❷ your computer? 제가 당신의 컴퓨터를 <u>사용</u>해도 될까요?
[동사] 그리다	He can ❸ cute animals. 그는 귀여운 동물들을 <u>그릴</u> 수 있다.
[명사] 1. 고리, 고리 모양의 것 2. 반지	I made a key ❹ . 나는 열쇠<u>고리</u>를 만들었다.
[명사] 1. 지역 2. 부분	This flower grows only in this ❺ of China. 이 꽃은 중국의 이 <u>지역</u>에서만 자란다.
[명사] 기, 깃발	They raised the white ❻ . 그들은 백<u>기</u>를 들었다.

B 주어진 단어의 알맞은 우리말 뜻을 찾아 연결하세요.

❶ during   •   •   자주

❷ often   •   •   ~ 동안

❸ world   •   •   세계

C 아래 문장에서 주어에는 ◯표, 동사에는 밑줄을 치세요.

> 보기 During the Olympic Games, (we) see the Olympic flag often.

❶ The flag has five rings on a white background.

❷ He also chose white for the background.

❸ Coubertin used blue, black, red, yellow, and green for the five rings.

❹ Pierre Coubertin designed the flag in 1913.

D 주어진 우리말과 뜻이 같도록 문장을 완성해 보세요.

❶ 그는 고리를 그리고 색칠했다 / 손으로.

→ He _____ / by hand.

(colored / and / the rings / drew)

❷ 다섯 개의 고리는 세계의 다섯 지역을 의미한다.

→ _____ of the world.

(the five rings / the five parts / mean)

❸ 왜 그 여섯 가지 색일까?

→ _____ ?

(those / why / colors / six)

❹ 모든 나라의 국기는 가지고 있다 / 최소한 그것들 중 하나를.

→ _____ / at least one of them.

(has / country's flag / every)

Beautiful Music

A 주어진 의미에 맞는 단어를 <보기>에서 골라 빈칸을 채우세요.

보기	ground	play	people	music	dream	hear

동사 1. (악기 등을) 연주하다 2. (놀이, 경기 등을) 하다 3. 놀다	I can ① _____ the flute. 나는 플루트를 연주할 수 있다.
동사 듣다	I can't ② _____ you. 저는 당신의 말이 들리지 않아요.
명사 (장래의) 꿈	I want to be a doctor. What's your ③ _____ ? 나는 의사가 되고 싶어. 네 꿈은 무엇이니?
명사 사람들	Many ④ _____ live in Seoul. 많은 사람들이 서울에 거주한다.
명사 땅, 지면	There are many bugs in the ⑤ _____. 많은 벌레들이 땅 속에 있다.
명사 음악	Everyone will enjoy your ⑥ _____. 모든 사람이 네 음악을 즐길 거야.

B 주어진 단어의 알맞은 우리말 뜻을 찾아 연결하세요.

① practice •

② better •

③ month •

• 달, 월

• 연습하다

• 더 잘하는; 더 잘

C 아래 문장에서 주어에는 ○표, 동사에는 밑줄을 치세요.

> 보기 (Mole) <u>lived</u> in the ground, under a tree.

1 She made beautiful music.

2 People heard about Mole.

3 One night, he saw a violinist on TV.

4 They came and listened to Mole's music.

D 주어진 우리말과 뜻이 같도록 문장을 완성해 보세요.

1 그는 아름다운 음악을 만들기를 원했다.

→ _____.

(wanted / he / to make / beautiful music)

2 그는 자신의 음악을 연주하기를 원했다 / 사람들을 위해.

→ _____ / for people.

(his music / wanted / he / to play)

3 두 달 후, / 그는 한 곡을 연주할 수 있었다.

→ After two months, / _____.

(play / could / a song / he)

4 Mole은 그 바이올린 연주자보다 더 잘 연주했다.

→ _____.

(played / Mole / better than / the violinist)

02 Niccolò Paganini

A 주어진 의미에 맞는 단어를 <보기>에서 골라 빈칸을 채우세요.

보기	write	show off	invent	proud	true	break

동사 1. 작곡하다 　　2. 쓰다, 적다	I ❶ _____ my songs on the piano. 나는 피아노로 내 곡들을 작곡한다.
동사 발명하다	Do you want to ❷ _____ something new? 너는 새로운 무언가를 발명하고 싶니?
동사 깨다, 부수다	Don't ❸ _____ the window. 창문을 깨지 마.
형용사 자랑스러운	The coach is ❹ _____ of his team. 그 코치는 자신의 팀을 자랑스러워한다.
형용사 진정한, 진실의, 참된	A ❺ _____ friend always listens to you. 진정한 친구는 항상 네 말을 듣는다.
~을 자랑하다	Henry wants to ❻ _____ his new bike. Henry는 자신의 새 자전거를 자랑하고 싶어 한다.

B 주어진 단어의 알맞은 우리말 뜻을 찾아 연결하세요.

❶ leave　　　•　　　•　완벽하게

❷ know　　　•　　　•　알다

❸ perfectly　•　　　•　그대로 두다

C 아래 문장에서 주어에는 ○표, 동사에는 밑줄을 치세요.

> 보기 (He) <u>wrote</u> music.

❶ He invented many violin techniques.

❷ But he played difficult music perfectly.

❸ Paganini wanted to show off his skill.

❹ Everyone knew about him, and Paganini was very proud of his skill.

D 주어진 우리말과 뜻이 같도록 문장을 완성해 보세요.

❶ Paganini는 ~이었다 / 최고의 바이올린 연주자들 중 한 명.

→ Paganini was / _____.

(the best / one of / violinists)

❷ 어느 날, / 다른 바이올린 연주자가 Paganini에게 도전했다.

→ One day, / _____.

(another / challenged / Paganini / violinist)

❸ 그는 오직 하나의 줄만을 그대로 두었다 / 그의 바이올린에.

→ _____ / on his violin.

(only one / left / he / string)

❹ 그는 바이올린의 진정한 명인이었다.

→ _____.

(was / a true master / he / of the violin)

03 The Mouse Violinist

A 주어진 의미에 맞는 단어를 <보기>에서 골라 빈칸을 채우세요.

| 보기 | little   try   live   perfect   something   finish |

동사 살다	They **1** _____ near the river. 그들은 강 근처에 산다.
동사 끝내다, 마치다	The concert will **2** _____ at 8 o'clock. 그 콘서트는 8시 정각에 끝날 것이다.
동사 노력하다, 해보다	**3** _____ to understand him better. 그를 더 잘 이해하려고 노력해봐.
형용사 완벽한, ~에 꼭 알맞은	These black shoes are **4** _____ for me. 이 검은색 신발은 내게 꼭 알맞다.
형용사 작은	A **5** _____ bird sat on my finger. 내 손가락에 작은 새 한 마리가 앉았다.
대명사 어떤 것, 무엇인가	My mother gave **6** _____ special to me. 내 어머니는 내게 소중한 어떤 것을 주셨다.

B 주어진 단어의 알맞은 우리말 뜻을 찾아 연결하세요.

1 open   •   •   생각하다

2 think   •   •   발견하다

3 find   •   •   열다

C 아래 문장에서 주어에는 ○표, 동사에는 밑줄을 치세요.

> 보기   (Antonio) <u>was</u> a violin maker.

① Poppy lived in Antonio's workshop.

② She wanted to play Antonio's violin.

③ I will make something for her!

④ Poppy found the box and opened it.

D 주어진 우리말과 뜻이 같도록 문장을 완성해 보세요.

① 그 바이올린은 너무 컸다 / 그녀에게.

→ _____ / for her.

(was / too big / the violin)

② Antonio는 무언가를 들었다 / 그의 작업장으로부터.

→ _____ / from his workshop.

(something / heard / Antonio)

③ 거기서, / 그는 Poppy를 보았다 / 그의 바이올린과 함께.

→ There, / _____ / with his violin.

(saw / he / Poppy)

④ 그것은 그녀에게 완벽한 크기였다!

→ _____!

(for her / the perfect size / was / it)

04 Antonio Stradivari

A 주어진 의미에 맞는 단어를 <보기>에서 골라 빈칸을 채우세요.

| 보기 | expensive famous cheap sound life lie |

동사 거짓말하다	Did you ❶ _____ to me? 너 내게 거짓말했니?
명사 소리, 음	I like the ❷ _____ of rain. 나는 빗소리를 좋아한다.
명사 일생, 생애	He wrote 150 stories during his ❸ _____. 그는 일생 동안 150 편의 이야기를 썼다.
형용사 유명한, 이름난	This place is ❹ _____ for its cold weather. 이 장소는 추운 날씨로 유명하다.
형용사 값비싼, 고가의	This old painting is very ❺ _____. 이 오래된 그림은 아주 값비싸다.
형용사 값이 싼, 싼	This bag is small and ❻ _____. 이 가방은 작고 값이 싸다.

B 주어진 단어의 알맞은 우리말 뜻을 찾아 연결하세요.

❶ century ·   · 여전히

❷ still ·   · 세기, 100년

❸ really ·   · 아주, 정말

C 아래 문장에서 주어에는 ○표, 동사에는 밑줄을 치세요.

> 보기 (They) are really expensive.

① They made perfect sound.

② He made many violins in the 17th and 18th centuries.

③ Antonio Stradivari was a famous violin maker.

④ Some people lied, sold fake ones, and made money.

D 주어진 우리말과 뜻이 같도록 문장을 완성해 보세요.

① 그의 일생 동안, / 그는 약 960개의 바이올린을 만들었다.

→ During his life, / _____ .

(he / made / 960 violins / about)

② 많은 바이올린 연주자들이 그의 바이올린을 갖기를 원했다.

→ _____ .

(his violins / many violinists / to have / wanted)

③ 약 450개의 진짜 바이올린이 있다.

→ _____ .

(about / are / 450 real violins / there)

④ 가장 값이 싼 것은 약 100만 달러이다!

→ _____ !

(one million dollars / costs / the cheapest one / about)

The Rainbow Village

A 주어진 의미에 맞는 단어를 <보기>에서 골라 빈칸을 채우세요.

> 보기   interesting   bored   still   village   stay   save

명사 마을	Nobody lives in the ❶ _____. 그 마을에는 아무도 살지 않는다.
동사 구하다	The firefighter will ❷ _____ the children. 그 소방관이 그 아이들을 구할 것이다.
동사 머무르다, 남다	Where do you want to ❸ _____? 너는 어디에 머무르고 싶니?
형용사 흥미로운, 재미있는	The movie looks very ❹ _____. 그 영화는 매우 흥미로워 보인다.
형용사 지루해하는, 따분해하는	I am ❺ _____. Let's go out! 나는 지루해. 외출하자!
부사 여전히, 아직도	He ❻ _____ has his old toys. 그는 아직도 자신의 오래된 장난감들을 가지고 있다.

B 주어진 단어의 알맞은 우리말 뜻을 찾아 연결하세요.

❶ nearby •   • 떠나다

❷ decide to •   • 근처의

❸ leave •   • ～하기로 결정하다

C 아래 문장에서 주어에는 ○표, 동사에는 밑줄을 치세요.

> 보기   It was an old village at first.

① He painted on his home and others.

② They wanted to save the village.

③ Everyone left the village.

④ One day, students from nearby universities saw his artwork.

D 주어진 우리말과 뜻이 같도록 문장을 완성해 보세요.

① 오늘, / 우리 반은 Rainbow 마을을 방문했다.

→ Today, / _____ .

(the Rainbow Village / my class / visited)

② 우리는 흥미로운 이야기를 들었다 / 그곳에 대한.

→ _____ / about the place.

(we / an interesting story / heard)

③ 도시는 새로운 건물들을 짓기로 결정했다.

→ _____ .

(the city / decided to / new buildings / build)

④ 이제는 많은 사람들이 그 마을을 방문한다.

→ Now _____ .

(the village / many people / visit)

Amazing Pamukkale

A 주어진 의미에 맞는 단어를 <보기>에서 골라 빈칸을 채우세요.

| 보기 | hurt | take off | amazing | soft | hard | mean | trip |

명사 여행	They went on a ❶ to Canada. 그들은 캐나다로 <u>여행</u>을 갔다.
(옷·신발 등을) 벗다	❷ your shoes here. 여기서 네 신발을 <u>벗어라</u>.
동사 아프다	My legs ❸ so much. 다리가 너무나 <u>아프다</u>.
동사 의미하다	What does this word ❹ ? 이 단어는 무엇을 <u>의미하니</u>?
형용사 부드러운, 푹신한	The sand was deep and ❺ . 모래는 깊고 <u>부드러웠다</u>.
형용사 놀라운, 굉장한	Her piano skills were ❻ . 그녀의 피아노 실력은 <u>굉장했다</u>.
형용사 딱딱한, 단단한	The cookies are too ❼ . 그 쿠키들은 너무 <u>딱딱하다</u>.

B 주어진 단어의 알맞은 우리말 뜻을 찾아 연결하세요.

❶ cotton •   • 바닥

❷ castle •   • 목화; 솜

❸ floor •   • 성

C 아래 문장에서 주어에는 ○표, 동사에는 밑줄을 치세요.

> 보기   (Pamukkale) means "cotton castle."

① Pamukkale is a World Heritage Site.

② My family is on a trip.

③ But it didn't feel soft.

④ The floor was very rough, and my feet hurt.

D 주어진 우리말과 뜻이 같도록 문장을 완성해 보세요.

① Pamukkale는 눈처럼 하얀 솜처럼 보인다.

→ Pamukkale _____.

(cotton / snowy / white / looks like)

② 그래서 / 우리는 신발을 벗고 들어갔다.

→ So / we _____.

(took off / and / our shoes / entered)

③ 바닥은 매우 딱딱했다 // 그것은 석회석이었기 때문에.

→ _____ // because it was limestone.

(very hard / was / the floor)

④ 천연 수영장들은 계단처럼 보였다.

→ _____.

(looked like / stairs / the natural swimming pools)

Welcome to Manarola!

A 주어진 의미에 맞는 단어를 <보기>에서 골라 빈칸을 채우세요.

| 보기 | colorful   watch out   miss   down   top   view |

전치사 (높은 데서) 아래로	He is going ❶ _____ the hill. 그는 언덕 아래로 가고 있다.
동사 (못 보고·듣고) 놓치다	You can't ❷ _____ the building. 너는 그 건물을 못 보고 놓칠 수 없다.
명사 전망, 경관	The house has a wonderful ❸ _____ . 그 집은 전망이 좋다.
명사 꼭대기, 맨 위 (부분)	My hat is on the ❹ _____ of the tree. 내 모자가 나무 꼭대기에 있어.
형용사 알록달록한, 화려한	There were many ❺ _____ flags. 많은 알록달록한 깃발들이 있었다.
경계하다, 주의하다	❻ _____ for cars here. 여기서는 차를 주의해라.

B 주어진 단어의 알맞은 우리말 뜻을 찾아 연결하세요.

❶ church ·   · ～의 위에

❷ above ·   · ～을 향하다

❸ face ·   · 교회

C 아래 문장에서 주어에는 ○표, 동사에는 밑줄을 치세요.

> 보기 (My name) is Marco.

① I will be your guide today.

② First we will go to the top of the town.

③ After that, we will have lunch at a seaside restaurant.

④ Don't miss the view of the sea.

D 주어진 우리말과 뜻이 같도록 문장을 완성해 보세요.

① 우리는 지금 약 70미터에 있어요 / 해수면 위로.

→ _____ / above sea level.

(about / we / 70 meters / are now)

② Manarola의 알록달록한 집들은 바다를 향하고 있습니다.

→ _____.

(the sea / are facing / Manarola's colorful houses)

③ 옛날에, / 사람들은 해적들을 경계했습니다 / 그곳에서.

→ Long ago, / _____ / from there.

(people / pirates / watched out for)

④ 여러분은 이곳을 절대 잊지 못하실 겁니다.

→ _____.

(this place / never / you'll / forget)

A Special Market

A 주어진 의미에 맞는 단어를 <보기>에서 골라 빈칸을 채우세요.

| 보기 | touch close pass train make way next to |

동사 만지다, (손 등을) 대다	Do not ❶ _____ the painting. 그 그림을 만지지 마세요.
동사 지나가다, 통과하다	❷ _____ through the gate. 이 문을 통해 지나가세요.
부사 가까이	The children sat ❸ _____ to their parents. 그 아이들은 부모에 가까이 앉았다.
명사 기차, 열차	The ❹ _____ is coming. 기차가 오고 있다.
전치사 ~의 바로 옆에	We sat ❺ _____ each other. 우리는 서로 바로 옆에 앉았다.
비켜 주다	Let's ❻ _____ for the big truck. 큰 트럭에게 길을 비켜 주자.

B 주어진 단어의 알맞은 우리말 뜻을 찾아 연결하세요.

❶ ring   •   • 팔다

❷ railway   •   • 기찻길, 철로

❸ sell   •   • 울리다

C 아래 문장에서 주어에는 ○표, 동사에는 밑줄을 치세요.

> 보기   (The train) <u>comes</u> very close.

❶ Visitors stop and wait.

❷ So you can touch the train.

❸ Maeklong Railway Market is very special.

❹ A few minutes later, the train comes.

D 주어진 우리말과 뜻이 같도록 문장을 완성해 보세요.

❶ 기차는 Maeklong 기찻길 시장을 통해 간다!

→ _____ the Maeklong Railway Market!

(goes / through / a train)

❷ 사람들은 물건을 판다 / 기찻길 바로 옆에서.

→ _____ / right next to the tracks.

(sell / people / things)

❸ 기차가 어떻게 지나갈까?

→ _____?

(can / pass through / the train / how)

❹ 사람들은 기차가 지나가도록 비켜 준다.

→ _____.

(for the train / people / make way)

MEMO

왓츠리딩

What's Reading

한눈에 보는 왓츠 Reading 시리즈

70 A|B

80 A|B

90 A|B

100 A|B

1 체계적인 학습을 위한 시리즈 및 난이도 구성
2 재미있는 픽션과 유익한 논픽션 50:50 구성
3 이해력과 응용력을 향상시키는 다양한 활동 수록
4 지문마다 제공되는 추가 어휘 학습
5 워크북과 부가자료로 완벽한 복습 가능
6 학습에 편리한 차별화된 모바일 음원 재생 서비스
→ 지문, 어휘 MP3 파일 제공

단계	단어 수 (Words)	Lexile 지수
70 A	60 ~ 80	200-400L
70 B	60 ~ 80	
80 A	70 ~ 90	300-500L
80 B	70 ~ 90	
90 A	80 ~ 110	400-600L
90 B	80 ~ 110	
100 A	90 ~ 120	500-700L
100 B	90 ~ 120	

* Lexile(렉사일) 지수는 미국 교육 연구 기관 MetaMetrics에서 개발한 독서능력 평가지수로, 미국에서 가장 공신력 있는 지수로 활용되고 있습니다.

부가자료 다운로드
www.cedubook.com

전체 시리즈 워크북 제공

Oh! My

PHONiCS & SPEAKING & GRAMMAR

◆ Oh! My 시리즈는 본문 전체가 영어로 구성된 ELT 도서입니다.　　◆ 세이펜이 적용된 도서로, 홈스쿨링 학습이 가능합니다.

My Oh! Phonics
오! 마이 파닉스

❶ 첫 영어 시작을 위한
유·초등 파닉스 학습서(레벨 1~4)

❷ 기초 알파벳부터
단/장/이중모음/이중자음 완성

❸ 초코언니 무료 유튜브 강의 제공

Flashcards

Oh! My SPEAKING
오! 마이 스피킹

❶ 말하기 중심으로 어휘,
문법까지 학습 가능(레벨1~6)

❷ 주요 어휘와 문장 구조가
반복되는 학습

❸ 초코언니 무료 유튜브 강의 제공

Flashcards

New

My Oh! Grammar
오! 마이 그래머

❶ 첫 문법 시작을 위한
초등 저학년 기초 문법서(레벨1~3)

❷ 흥미로운 주제와 상황을 통해
자연스러운 문법 규칙 학습

❸ 초코언니 무료 우리말 음성 강의 제공

파닉스 규칙을 배우고 **스피킹과 문법 학습**으로 이어가는 **유초등 영어의 첫 걸음!**
쎄듀 오! 마이 시리즈로 영어 자신감 UP↑ 탄탄한 초등 영어 습관을 만들어보세요!

LISTENING Q

중학영어듣기 모의고사 시리즈

❶ 최신 기출을 분석한 유형별 공략

· 최근 출제되는 모든 유형별 문제 풀이 방법 제시
· 오답 함정과 정답 근거를 통해 문제 분석
· 꼭 알아두야 할 주요 어휘와 표현 정리

❷ 실전모의고사로 문제 풀이 감각 익히기

실전 모의고사 20회로 듣기 기본기를 다지고,
고난도 모의고사 4회로 최종 실력 점검까지!

❸ 매 회 제공되는 받아쓰기 훈련 (딕테이션)

· 문제풀이에 중요한 단서가 되는
  핵심 어휘와 표현을 받아 적으면서 듣기 훈련!
· 듣기 발음 중 헷갈리는 발음에 대한 '리스닝 팁' 제공
· 교육부에서 지정한 '의사소통 기능 표현' 정리

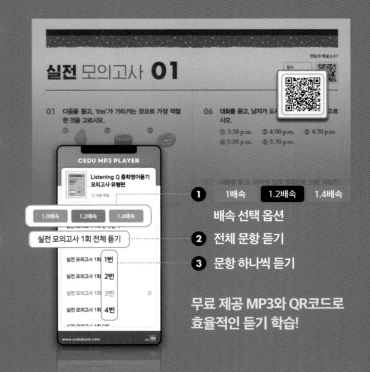

❶ 배속 선택 옵션

❷ 전체 문항 듣기

❸ 문항 하나씩 듣기

무료 제공 MP3와 QR코드로
효율적인 듣기 학습!

쎄듀북닷컴(www.cedubook.com)에서 부가 자료를 무료로 다운로드할 수 있습니다.

CEDU BOOK 쎄듀

EGU
THE EASIEST GRAMMAR&USAGE

EGU 시리즈 소개

EGU 서술형 기초 세우기

영단어&품사

서술형·문법의 기초가 되는
영단어와 품사 결합 학습

문장 형식

기본 동사 32개를 활용한
문장 형식별 학습

동사 써먹기

기본 동사 24개를 활용한
확장식 문장 쓰기 연습

EGU 서술형·문법 다지기

문법 써먹기

개정 교육 과정
중1 서술형·문법 완성

구문 써먹기

개정 교육 과정
중2, 중3 서술형·문법 완성

쎄듀북닷컴(www.cedubook.com)에서 부가 자료를 무료로 다운로드할 수 있습니다.

CEDU BOOK 쎄듀

Words

70 B

Let's Start Reading!

김기훈 | 쎄듀 영어교육연구센터

왓츠
리딩
What's Reading

정답과 해설

쎄듀

Words

70 B

정답과 해설

Pizza

01 Pizza for Dinner

p. 15	**Check Up**	1 ③ 2 (a)✕ (b)✕ (c)○ 3 ③ 4 ⓐ: pizza ⓑ: toppings		
p. 16	**Build Up**	1 (B) 2 (C) 3 (A)		
p. 16	**Sum Up**	ⓐ order ⓑ have ⓒ toppings ⓓ cheese		
p. 17	**Look Up**	**A** 1 dinner 2 add 3 order		
		B 1 everyone - 모두 2 mushroom - 버섯		
		3 perfect - 완벽한 4 love - 매우 좋아하다		
		C 1 favorite 2 have 3 order		

Check Up

1 가족의 저녁 식사로 피자를 주문하기 위해 피자 위에 올라갈 토핑을 고르는 내용이므로 정답은 ③이다.

2 (a) '나'의 가족은 피자를 먹기로 하고, 메뉴를 본다는(I look at the menu.) 내용으로 보아, 피자를 만들지 않고 주문할 것이라는 걸 알 수 있다.

(b) 엄마는 피자 위에 파인애플이 있는 것을 좋아하지 않는다고(Mom doesn't like it on pizza.) 했으므로 글의 내용과 틀리다.

(c) 가족 모두 치즈를 매우 좋아한다고(Everyone in my family loves cheese.) 했으므로 글의 내용과 맞다.

3 엄마는 파인애플을 좋아하지 않고, 아빠는 버섯을 먹지 못한다고 했으므로 정답은 ③이다.

4
> 내 가족은 저녁 식사로 ⓐ 피자를 먹을 것이다. 메뉴에 많은 ⓑ 토핑들이 있다.

Build Up

❶ 아빠는 올리브와 양파를 좋아하세요. 하지만 이것들을 드실 수 없어요.

❷ 이것은 맛있는 과일이에요. 하지만 엄마는 피자에 그것이 있는 걸 좋아하지 않으세요.

❸ 모두 이것을 매우 좋아해요. 나는 이것을 더 추가할 거예요!

(B) 버섯

(C) 파인애플

(A) 치즈

Sum Up

안녕하세요. ⓐ 주문할 준비 되셨나요?

네. 큰 피자를 ⓑ 먹으려고 해요.

ⓒ 토핑을 고르셨나요?

네. 올리브, 양파, 소시지, 그리고 페퍼로니로 할게요.

그게 다인가요?

ⓓ 치즈도 더 추가하고 싶어요.

알겠습니다. 피자는 15분 내로 준비될 거예요.

끊어서 읽기

오늘 밤에, / 나의 가족은 피자를 먹을 것이다 / 저녁 식사로.　나는 메뉴를 본다.　~이 있다
[1]Tonight, / my family will have pizza / for dinner. [2]I look at the menu. [3]There are

　많은 토핑들.　우선, / 나는 파인애플을 고를 수 없다. 엄마가 그것을 좋아하지 않는다 / 피자 위에.
/ many toppings. [4]First, / I can't pick pineapple. [5]Mom doesn't like it / on pizza.

아빠는 매우 좋아한다 / 올리브와 양파를.　하지만 그는 버섯을 먹을 수 없다.　내 남동생은 소시지를
[6]Dad loves / olives and onions. [7]But he can't have mushrooms. [8]My brother likes

좋아한다. //　그리고 내가 가장 좋아하는 토핑은 페퍼로니.　나의 가족 모두는　/ 치즈를
sausage, // and my favorite topping is pepperoni. [9]Everyone in my family / loves

매우 좋아한다. 그래서 나는 추가할 것이다 / 더 많은 치즈를.
cheese. [10]So I'll add / more cheese.

　이 피자는 완벽해 보인다　/ 나의 가족에게.　나는 주문할 준비가 되었다!
[11]This pizza seems perfect / for my family. [12]I'm ready to order!

우리말 해석

저녁 식사로 먹는 피자

[1]오늘 밤에, 내 가족은 저녁 식사로 피자를 먹을 거예요. [2]나는 메뉴를 봐요. [3]많은 토핑들이 있어요. [4]우선, 나는 파인애플을 고를 수 없어요. [5]엄마가 피자 위에 그것이 있는 것을 좋아하지 않으시거든요. [6]아빠는 올리브와 양파를 정말 좋아하세요. [7]하지만 아빠는 버섯을 못 드세요. [8]내 남동생은 소시지를 좋아하고, 내가 가장 좋아하는 토핑은 페퍼로니에요. [9]내 가족 모두는 치즈를 매우 좋아한답니다. [10]그래서 나는 치즈를 더 추가할 거예요.
[11]이 피자는 내 가족에게 완벽한 것 같아요. [12]나는 주문할 준비가 되었어요!

🌿 주요 문장 분석하기

⁹*Everyone* [in my family] **loves** cheese.
    주어   동사   목적어

→ in my family가 Everyone을 뒤에서 꾸며 준다.

→ Everyone은 단수명사이므로 동사도 단수 형태인 loves를 사용한다.

¹¹This pizza **seems** *perfect* for my family.
    주어   동사   보어

→ 「seem+형용사」는 '~해 보인다, ~인 것 같다'의 의미를 나타낸다.

→ 형용사 perfect는 주어 This pizza를 보충 설명한다.

¹²**I'm ready to** order!

→ 「am[are, is] ready to+동사원형」은 '~할 준비가 되다'라는 의미이다.

02	**Rossi's Pizza**			pp.18 ~ 21
p. 19 **Check Up**	1 ③ 2 (a) ○ (b) × (c) ○ 3 ③ 4 ⓐ: love ⓑ: fun			
p. 20 **Build Up**	ⓐ delicious	ⓑ cheese	ⓒ beef	ⓓ large
p. 20 **Sum Up**	ⓐ special	ⓑ real	ⓒ love	ⓓ call
p. 21 **Look Up**	A 1 secret	2 delicious		3 large
	B 1 delivery - 배달	2 fun - 즐거운		
	3 extra - 추가의	4 bake - (음식을) 굽다		
	C 1 secret	2 delicious		3 special

Check Up

1 5월 13일에 개점하는 피자 가게에 대해 소개하면서 홍보하는 내용이므로 정답은 ③이다.

2 (a) 피자 가게는 5월 13일에 개점한다고(Rossi's Pizza Grand Opening May 13th) 했으므로 글의 내용과 맞다.

(b) 배달 주문을 전화로도 할 수 있다고(You can also call for deliveries.) 했으므로 글의 내용과 틀리다.

(c) Pepperoni Lover's Pizza에 들어가는 재료로 페퍼로니와 치즈만 글에 등장하므로 베이컨이 없다는 것을 알 수 있다.

3 비법 소스가 있다는 내용은 있지만, 소스의 재료에 대한 내용은 글에 없으므로 정답은 ③이다.

4 당신은 Rossi's Pizza를 ⓐ 매우 좋아할 것이다. 그곳은 ⓑ 즐거운 패밀리 레스토랑이다.

Build Up

Rossi's Pizza의 피자들을 이름, 토핑(들어간 재료), 크기, 가격별로 분류한다.

이름	토핑	크기	가격
Cheese Lover's 피자	ⓐ 맛있는 치즈	세 가지 다른 크기: 작은, 중간, ⓓ 큰	$9.50부터 $13.50까지
Pepperoni Lover's 피자	페퍼로니, ⓑ 치즈		$10.50부터 $14.50까지
Meat Lover's 피자	페퍼로니, 햄, ⓒ 소고기, 베이컨, 소시지		$11.50부터 $15.50까지

Sum Up

Rossi's Pizza는 5월 13일 개점할 것입니다. 그곳은 즐거운 패밀리 레스토랑입니다. 그 레스토랑은 ⓐ 특별한 벽돌 오븐을 사용합니다. 여러분은 ⓑ 진짜 이탈리아 방식의 피자를 즐길 수 있습니다. 여러분의 가족은 Rossi's Pizza를 ⓒ 매우 좋아할 것입니다. 너무 바쁘다고요? 걱정 마세요. 배달 주문을 위해 ⓓ 전화할 수도 있습니다.

끊어서 읽기

Rossi's Pizza 개점 / 5월 13일
[1]Rossi's Pizza Grand Opening / May 13th

당신은 매우 좋아할 것이다 / Rossi's Pizza를!
[2]You'll love / Rossi's Pizza!

즐거운 패밀리 레스토랑
[3]A fun family-style restaurant

진짜 이탈리아 방식의 피자들
[4]Real Italian-style pizzas

우리는 피자를 굽는다 / 특별한 벽돌 오븐에.
[5]We bake pizzas / in a special brick oven.

들어와라 // 그리고 먹어봐라 / Rossi의 비법 소스를.
[6]Come in // and try / Rossi's secret sauce.

당신은 또한 전화할 수 있다 / 배달 주문을 위해.
[7]You can also call / for deliveries.

Cheese Lover's 피자
[8]Cheese Lover's Pizza

맛있는 치즈들과 함께
[9]with delicious cheeses

작은(사이즈) 9.50달러 / 중간(사이즈) 11.50달러 / 큰(사이즈) 13.50달러
[10]small $9.50 / medium $11.50 / large $13.50

Pepperoni Lover's 피자
[11]Pepperoni Lover's Pizza

추가 페퍼로니와 함께   / 치즈를 더하여
[12]with extra pepperoni / plus cheese

작은(사이즈) 10.50달러 / 중간(사이즈) 12.50달러 / 큰(사이즈) 14.50달러
[13]small $10.50 / medium $12.50 / large $14.50

Meat Lover's 피자
[14]Meat Lover's Pizza

페퍼로니, 햄, 소고기, 베이컨, 소시지와 함께
[15]with pepperoni, ham, beef, bacon, and sausage

작은(사이즈) 11.50달러 / 중간(사이즈) 13.50달러 / 큰(사이즈) 15.50달러
[16]small $11.50 / medium $13.50 / large $15.50

⚜ 우리말 해석

Rossi's Pizza
[1]Rossi's Pizza 5월 13일 개점
[2]여러분은 Rossi's Pizza를 좋아하실 거예요!
[3]즐거운 패밀리 레스토랑
[4]진짜 이탈리아 방식의 피자들
[5]우리는 특별한 벽돌 오븐에 피자를 구워요.
[6]들어오셔서 Rossi의 비법 소스를 맛보세요.
[7]여러분은 배달 주문을 위해 전화를 할 수도 있어요.
[8]Cheese Lover's 피자
[9]맛있는 치즈들과 함께
[10]작은(사이즈) 9.50달러 / 중간(사이즈) 11.50달러 / 큰(사이즈) 13.50달러
[11]Pepperoni Lover's 피자
[12]추가 페퍼로니에 치즈를 더하여
[13]작은(사이즈) 10.50달러 / 중간(사이즈) 12.50달러 / 큰(사이즈) 14.50달러
[14]Meat Lover's 피자
[15]페퍼로니, 햄, 소고기, 베이컨, 소시지를 곁들인
[16]작은(사이즈) 11.50달러 / 중간(사이즈) 13.50달러 / 큰(사이즈) 15.50달러

⁶Come in **and** try Rossi's secret sauce.

<u>동사1</u>   <u>동사2</u>   <u>목적어2</u>

➜ 동사원형으로 시작하는 두 개의 명령문이 and로 연결되어 있다.

⁷You can **also** call for deliveries.

➜ also는 '또한'이라는 뜻의 부사로 주로 조동사 뒤, 일반동사 앞에 온다.

03 The First Pizza   pp.22 ~ 25

p. 23 **Check Up**	1 ② 2 (a) ✕ (b) ◯ (c) ✕ 3 ② 4 ⓐ: tomatoes ⓑ: Pizza
p. 24 **Build Up**	1 (B) 2 (C) 3 (A)
p. 24 **Sum Up**	2 → 1 → 4 → 3
p. 25 **Look Up**	A 1 new 2 flag 3 popular B 1 begin - 시작되다 2 visit - 방문하다 3 cook - 요리사 4 look like - ~처럼 보이다 C 1 popular 2 poor 3 put

Check Up

1 피자의 시작과 최초의 현대식 피자로 알려진 Margherita 피자가 어떻게 만들어졌는지에 대해 설명하는 내용이므로 정답은 ②이다.

2 (a) 한 요리사가 Margherita 왕비를 위해 Margherita 피자를 만들었다고(A cook made "Margherita" for the queen "Margherita.") 했으므로 글의 내용과 틀리다.

(b) 그 피자에는 빨간 토마토, 하얀 치즈, 녹색 바질이 있었다고(The pizza had red tomatoes, white cheese, and green basil.) 했다.

(c) 이탈리아 왕비는 그 피자를 매우 좋아했다고(The queen loved the pizza.) 했으므로 글의 내용과 틀리다.

3 빨간색, 흰색, 녹색의 재료가 포함되어 이탈리아 국기와 비슷했다고(It looked like the Italian flag.) 했으므로 정답은 ②이다.

4
> 오래 전에, 가난한 이탈리아 사람들은 플랫브레드 위에 ⓐ <u>토마토</u>를 얹었다. 그런 식으로 ⓑ <u>피자</u>가 시작되었다.

Build Up

질문		대답
❶ 그 피자의 이름은 무엇인가?	—	(B) 사람들은 그것을 'Margherita 피자'라고 부른다.
❷ 토핑은 무엇인가?	—	(C) 토핑은 토마토, 치즈, 그리고 바질이다.
❸ 그것은 어떻게 생겼는가?	—	(A) 그것은 이탈리아 국기처럼 생겼다.

Sum Up

Margherita 피자가 어떻게 만들어졌는지에 대한 내용을 정리해 본다.

❷ 피자는 토마토와 플랫브레드로 시작되었다. → ❶ 이탈리아의 왕과 왕비가 한 도시를 방문했다. →

❹ 한 요리사가 왕비를 위해 피자를 만들었다. → ❸ 왕비는 그 피자를 매우 좋아했다. 그 피자는 'Margherita 피자'로 인기를 얻었다.

❧ 끊어서 읽기

오래 전에 / 이탈리아에서, / 가난한 사람들은 토마토를 얹었다 / 플랫브레드 위에. 피자는
[1]A long time ago / in Italy, / poor people put tomatoes / on flatbread. [2]Pizza

시작되었다 / 그런 식으로
began / like that.

어느 날, / 이탈리아의 왕과 왕비는 / 한 도시를 방문했다. 요리사는 'Margherita'를 만들었다
[3]One day, / the king and queen of Italy / visited a city. [4]A cook made "Margherita"

/ 'Margherita' 왕비를 위해서. 'Margherita'는 새로운 피자였다. 그 피자는 가지고 있었다 / 빨간
/ for the queen "Margherita." [5]"Margherita" was a new pizza. [6]The pizza had / red

토마토, / 하얀 치즈, / 그리고 녹색 바질을. 그것은 ~처럼 보였다 / 이탈리아 국기.
tomatoes, / white cheese, / and green basil. [7]It looked like / the Italian flag. [8]The

왕비는 그 피자를 매우 좋아했다. 그 새로운 피자는 인기를 얻었다 / 'Margherita 피자'로.
queen loved the pizza. [9]The new pizza became popular / as "Pizza Margherita."

❧ 우리말 해석

최초의 피자

[1]오래 전에 이탈리아에선, 가난한 사람들이 플랫브레드 위에 토마토를 얹었어요. [2]그런 식으로 피자가 시작되었지요.

³어느 날, 이탈리아의 왕과 왕비가 한 도시를 방문했어요. ⁴한 요리사가 'Margherita' 왕비를 위해서 'Margherita'를 만들었어요. ⁵'Margherita'는 새로운 피자였답니다. ⁶그 피자에는 빨간 토마토, 하얀 치즈, 그리고 녹색 바질이 있었어요. ⁷그것은 이탈리아 국기처럼 보였어요. ⁸왕비는 그 피자를 매우 좋아했지요. ⁹그 새로운 피자는 'Margherita 피자'로 인기를 얻었답니다.

🌾 주요 문장 분석하기

³One day, ***the king and queen*** [of Italy] visited a city.
　　　　　　　　주어　　　　　　　　　　　동사　목적어

→ of Italy는 the king and queen을 꾸며준다.

⁷It **looked like** *the Italian flag*.
　주어　동사　　　　　보어

→ 「look[looked] like+명사」는 '~처럼 보이다[보였다]'라는 의미이다.

→ the Italian flag는 주어 It을 보충 설명한다.

⁹The new pizza **became** *popular **as*** "Pizza Margherita."
　　주어　　　　　동사　　　보어

→ 「become[became]+형용사」는 '~해지다[해졌다]'라는 의미이다.

→ 형용사 popular는 주어 The new pizza를 보충 설명한다.

→ as는 '~로(서)'라는 의미의 전치사이며 뒤에 명사가 온다.

04	The Hen's Pizza			pp.26 ~ 29
p. 27 **Check Up**	1 ①	2 (a) ○ (b) ✕ (c) ○	3 ②	4 ⓐ: pizza ⓑ: together
p. 28 **Build Up**	ⓐ outside	ⓑ store	ⓒ bought	ⓓ enjoyed
p. 28 **Sum Up**	2 → 3 → 4 → 1			
p. 29 **Look Up**	A 1 call	2 ask		3 store
	B 1 outside - ~의 밖에		2 do the dishes - 설거지하다	
	3 again - 다시		4 enjoy - 즐기다	
	C 1 together	2 saw		3 bought

Check Up

1 친구들의 도움을 받지 못하고 피자를 만들어 낸 암탉의 이야기이므로 정답은 ①이다.

2 (a) 암탉의 친구들이 부탁을 들어주지 않자, 암탉은 혼자 상점에 가서 밀가루를 샀다고(The hen went to the store. She bought flour.) 했으므로 글의 내용과 맞다.

(b) 암탉은 친구들에게 도와달라고 했지만 친구들이 거절했다고(They said, "No.") 했으므로 글의 내용과 틀리다.

(c) 암탉과 친구들이 함께 피자를 즐겼다고(They enjoyed the pizza together.) 했으므로 글의 내용과 맞다.

3 암탉은 친구들에게 상점에 가서 밀가루 사 오기, 설거지하기를 부탁했지만, 집을 청소해달라는 부탁은 하지 않았다.

4

> 암탉은 ⓐ 피자를 만들었다. 그녀와 그녀의 친구들은 그것을 ⓑ 함께 즐겼다.

Build Up

등장인물	배경	사건
• 암탉 • 그녀의 친구들	암탉의 집 ⓐ 밖	• 그녀는 친구들에게 도움을 요청했다. • 그녀의 친구들은 ⓑ 상점에 가지 않았다.
• 암탉	상점	• 암탉은 밀가루를 ⓒ 샀다.
• 암탉 • 그녀의 친구들	암탉의 집 안	• 그들은 함께 피자를 ⓓ 즐겼다.

Sum Up

암탉이 피자를 만들어 친구들과 함께 즐긴 내용의 글을 이야기 순서대로 정리해 본다.

❷ 암탉의 친구들은 그녀를 도와주지 않았다. 그래서 그녀는 상점에 갔다. → ❸ 암탉은 친구들에게 다시 도움을 요청했다. 그러나 그들은 안 된다고 말했다. →

❹ 암탉은 피자를 만들었다. 그녀와 그녀의 친구들은 함께 그것을 즐겼다. → ❶ 암탉의 친구들이 설거지를 했다.

끊어서 읽기

암탉은 피자를 만들고 싶었다.   하지만 밀가루가 없었다.   그녀는 그녀의 친구들을 보았다 /
¹The hen wanted to make pizza. ²But there was no flour. ³She saw her friends /

 그녀의 집 밖에 있는.   암탉이 그들을 불렀다   / 그리고 물었다. // "너희들이 가줄래 /
outside her house. ⁴The hen called them / and asked, // "Can you go / to the

상점에?"   그들은 말했다. / "아니."
store?" ⁵They said, / "No."

암탉은 상점에 갔다. 　　　그녀는 밀가루를 샀다. 　　그녀는 돌아왔다 / 그리고 그녀의

⁶The hen went to the store. ⁷She bought flour. ⁸She came back / and asked her

친구들에게 물었다. // "너희들이 나를 도와줄래?" 그들은 말했다. / "아니."

friends, // "Can you help me?" ⁹They said, / "No."

암탉은 피자를 만들었다. 　　그녀는 그녀의 친구들에게 다시 물었다. // 　"피자를 좀 먹을래?"

¹⁰The hen made pizza. ¹¹She asked her friends again, // "Do you want some

그들은 그러겠다고 말했다. 　그들은 피자를 함께 즐겼다.

pizza?" ¹²They said yes. ¹³They enjoyed the pizza together.

암탉이 물었다. //"너희들이 설거지를 해줄래?" 그러자 그녀의 친구들은 말했다. "응, 우리가 해 줄 수 있어!

¹⁴The hen asked, // "Can you do the dishes?" ¹⁵And her friends said, "Yes, we can!

피자 고마워!"

¹⁶Thanks for the pizza!"

🌱 우리말 해석

암탉의 피자

¹암탉은 피자를 만들고 싶었어요. ²하지만 밀가루가 없었답니다. ³그녀는 집 밖에 있는 자신의 친구들을 보았어요. ⁴암탉은 그들을 불러서 "너희들이 상점에 가줄래?"라고 물었습니다. ⁵그들은 "아니."라고 말했어요.

⁶암탉은 상점에 갔어요. ⁷그녀는 밀가루를 샀답니다. ⁸그녀는 돌아와서 친구들에게 "나를 도와줄래?"라고 물었어요. ⁹그들은 "아니."라고 말했지요.

¹⁰암탉은 피자를 만들었어요. ¹¹그녀는 친구들에게 "피자 좀 먹을래?"라고 다시 물어봤습니다. ¹²그들은 그러겠다고 말했어요. ¹³그들은 함께 피자를 즐겼답니다.

¹⁴암탉이 "너희들이 설거지를 해줄래?"라고 물었어요. ¹⁵그러자 그녀의 친구들이 말했어요, "응, 우리가 할게! ¹⁶피자 고마워!"

🌱 주요 문장 분석하기

¹The hen wanted to make pizza.
　주어　　　동사　　　목적어

→ 「want[wanted] to+동사원형」은 '~하기를 원하다[원했다], ~하고 싶다[싶었다]'의 의미를 나타낸다.

²But **there was no** flour.

→ 「There is[was] no+단수명사」는 '~가 없다[없었다]'를 의미한다.

⁴The hen called them **and** asked, "*Can you* go to the store?"
　주어　　동사1　목적어1　동사2　　　　목적어2

→ 두 개의 동사 called와 asked가 접속사 and로 연결되어 있다.

→ 「Can you+동사원형 ~?」은 상대방에게 부탁할 때 사용하는 표현이다.

CHAPTER 2

Rights

01 Pants for Change!   pp.32 ~ 35

p. 33 **Check Up**	1 ③	2 (a) ○ (b) ○	3 ③	4 ⓐ: **different** ⓑ: **wear**
p. 34 **Build Up**	1 (C)	2 (A)	3 (B)	
p. 34 **Sum Up**	ⓐ wore	ⓑ girls	ⓒ fast	ⓓ arrived	ⓔ Everyone
p. 35 **Look Up**	A 1 dress	2 walk	3 arrive	

B 1 only - ~만, 오직   2 again - 다시
   3 comfortable - 편한   4 surprised - 놀란
C 1 early   2 pants   3 listen

Check Up

1 오래 전 여자아이들이 원피스만 입었을 때, Anne이라는 여자아이가 처음으로 바지를 입고 학교에 갔다는 내용이다. 그 이후에 다른 여자아이들도 바지를 입고 있었다고 했으므로 정답은 ③이다.

2 (a) Anne은 바지가 더 편해서 바지를 입고 싶었다고(She wanted to ~ more comfortable.) 했으므로 글의 내용과 맞다.
　(b) Anne이 두 번째로 바지를 입고 학교에 간 날에 모두가 바지를 입고 있었고, Anne은 그것을 보고 놀랐다고(Soon, Anne was surprised. Everyone was wearing pants!) 했으므로 글의 내용과 맞다.

3 Anne이 바지를 입은 것을 보고 놀란 사람들은 Anne에게 남자아이들의 바지를 왜 입고 있는지 물어보면서 여자아이들은 바지를 입지 않는다고(Why are you wearing boys' pants? Girls don't wear pants.) 했다. 따라서 바지는 남자만 입는 것인데 여자인 Anne이 입고 있어서 사람들이 놀랐다는 것을 알 수 있다.

4
> Anne은 ⓐ 달랐다. 그녀는 원피스가 아니라 바지를 ⓑ 입고 싶었다.

Build Up

❶ Anne은 바지를 입고 싶었다	❷ 사람들은 Anne에게 놀랐다	❸ Anne은 다시 바지를 입었다,
(C) 바지가 더 편했기 때문에.	(A) 바지는 남자아이들만을 위한 것이기 때문에.	(B) 그리고 모든 사람도 바지를 입었다.

Sum Up

> Anne은 바지를 **a** 입었다. **b** 여자아이들은 원피스만 입었기 때문에, 학교의 모두가 놀랐다. 다음 날, Anne은 다시 바지를 입었다. 그녀는 바지를 입고서 **c** 빨리 걸을 수 있었다. 그녀가 학교에 **d** 도착했을 때, 그녀는 놀랐다. **e** 모두가 바지를 입고 있었다!

🌿 끊어서 읽기

오래 전에, / 여자아이들은 원피스만 입었다. / 바지가 아닌.   Anne은 달랐다.
¹Many years ago, / girls only wore dresses, / not pants. ²Anne was different.

그녀는 바지를 입고 싶었다.   바지가 더 편했다.
³She wanted to wear pants. ⁴Pants were more comfortable.

어느 날, / 그녀는 바지를 입었다. 사람들은 그녀를 보았다. // 그리고 그들은 놀랐다!   그들은
⁵One day, / she wore pants. ⁶People saw her, // and they were surprised! ⁷They

물었다. // "왜 너는 입고 있니 / 남자아이들의 바지를? 여자아이들은 바지를 입지 않는단다."
asked, // "Why are you wearing / boys' pants? ⁸Girls don't wear pants."

Anne은 듣지 않았다.   학교에서, / 학생들과 선생님들은 놀랐다, / ~도
⁹Anne didn't listen. ¹⁰At school, / students and teachers were surprised, / too.

다음 날, / Anne은 다시 바지를 입었다.   그녀는 빨리 걸을 수 있었다 / 바지를 입고서. 그녀는
¹¹Next day, / Anne wore pants again. ¹²She could walk fast / in pants. ¹³She

학교에 도착했다 / 일찍.   곧, / Anne은 놀랐다.
arrived at school / early. ¹⁴Soon, / Anne was surprised.

모두가 바지를 입고 있었다!   바지는 남자아이들만을 위한 것이 아니었다.
¹⁵Everyone was wearing pants! ¹⁶Pants were not only for boys.

🌿 우리말 해석

변화를 위한 바지!

¹오래 전에, 여자아이들은 바지를 입지 않고 원피스만 입었습니다. ²Anne은 달랐어요. ³그녀는 바지를 입고 싶었어요. ⁴바지가 더 편했거든요.

⁵어느 날, 그녀는 바지를 입었습니다. ⁶사람들은 그녀를 보고 깜짝 놀랐어요! ⁷그들은 물었습니다, "왜 남자아이들이 입는 바지를 입고 있니? ⁸여자아이들은 바지를 입지 않는단다." ⁹Anne은 듣지 않았어요. ¹⁰학교에서, 학생들과 선생님들도 놀랐어요.

¹¹다음 날, Anne은 다시 바지를 입었습니다. ¹²그녀는 바지를 입고서 빨리 걸을 수 있었어요. ¹³그녀는 학교에 일찍 도착했어요. ¹⁴곧, Anne은 놀랐답니다.

¹⁵모두가 바지를 입고 있었거든요! ¹⁶바지는 남자아이들만을 위한 것이 아니었어요.

🌿 주요 문장 분석하기

³She **wanted to** wear pants.
  주어   동사   목적어

→ 「want[wanted] to+동사원형」은 '~하고 싶다[싶었다], ~하는 것을 원하다[원했다]'라는 의미이다.

⁴Pants were **more comfortable**.
  주어   동사   보어

→ more comfortable은 '더 편한'의 의미로 comfortable의 비교 표현이다.

→ more comfortable은 주어 Pants를 보충 설명한다.

⁷They asked, "Why **are you wearing** boys' pants?"
  주어   동사

→ 「are[is]+동사원형+-ing」의 형태로 '~하고 있다, ~하는 중이다'라는 의미를 가진 현재진행형이다.

→ 동사 are가 주어(you) 앞으로 온 의문문이며, 이유를 묻는 의문사 Why와 함께 쓰였다.

¹²She **could** walk fast in pants.
  주어   동사

→ 「could+동사원형」의 형태로 '~할 수 있었다'라는 의미이다. could는 can의 과거형이다.

¹⁵**Everyone** *was wearing* pants!
    주어   동사   목적어

→ Everyone은 '모든 사람, 모두'라는 의미인 단수명사로, 이에 맞춰 단수동사 was가 온다.

→ 「was[were]+동사원형+-ing」의 형태로 '~하고 있었다'라는 의미를 가진 과거진행형이다.

---

02   Margaret the Painter   pp.36 ~ 39

p. 37 **Check Up**	1 ③	2 ②	3 ③	4 ⓐ: job ⓑ: painted
p. 38 **Build Up**	1 (B), (C), (E)	2 (A), (D)		
p. 38 **Sum Up**	ⓐ home ⓑ sold ⓒ painter ⓓ hid ⓔ truth			
p. 39 **Look Up**	A 1 marry 2 hide 3 painter			
	B 1 need - 필요로 하다 2 paint - 그림을 그리다			
	3 sell - 팔다 4 afraid of - ~을 두려워하는			
	C 1 truth 2 hid 3 paintings			

Check Up

1 여자가 직업을 얻기 어렵던 시절에 자신의 그림이라고 밝히지 못하고 숨어서 그림을 그렸던 화가 Margaret 에 관한 이야기이므로 정답은 ③이다.

2 Margaret은 거리에서 사람들을 그렸다고 했으나 유명했다는 내용은 없으므로 정답은 ②이다.

3 Walter가 자신이 화가라고 하면서 Margaret이 그린 그림을 팔았다는 내용이 앞에서 등장하므로, the truth(사실)가 가리키는 것은 Walter가 거짓말을 했다는 것임을 알 수 있다.

4 여자는 ⓐ 일자리를 쉽게 구할 수 없어서, Margaret은 집에서 ⓑ 그림을 그렸다.

Build Up

❶ Margaret은 — (B) 숨어서 하루 종일 그림을 그렸다. | (C) 거리에서 사람들을 그렸다. | (E) 딸이 있다.

❷ Walter는 — (A) 그림을 팔았다. | (D) 화가에 대해 거짓말했다.

Sum Up

Margaret은 ⓐ 집에서 그림을 그렸고, Walter는 그녀의 그림들을 ⓑ 팔았다. 그러나 Walter는 그 그림들에 대해 거짓말했다. 그는 자신이 ⓒ 화가라고 말했다. Margaret은 ⓓ 숨어서 하루 종일 그림을 그렸다. 하지만 몇 년 후에, 그녀는 세상에 ⓔ 사실을 말했다. Walter가 아닌 Margaret이 화가였다.

⚘ 끊어서 읽기

Margaret은 사람들을 그렸다 / 거리에서. 그녀는 딸이 있었다 / 그리고 돈이 필요했다.
[1]Margaret drew people / on the street. [2]She had a daughter / and needed money.

나중에, / 그녀는 Walter를 만났다. // 그리고 그들은 결혼했다. 그 당시, / 여자는 일자리를 구할 수
[3]Later, / she met Walter, // and they married. [4]At that time, / a woman couldn't

없었다 / 쉽게. Margaret은 집에서 그림을 그렸다. // 그리고 Walter는 그녀의 그림들을 팔았다.
get a job / easily. [5]Margaret painted at home, // and Walter sold her paintings.

그녀의 그림들은 인기를 얻게 되었다. 그러나 Walter는 거짓말했다 // 그가 화가라고.
[6]Her paintings became popular. [7]But Walter lied // that he was the painter.

Margaret은 말할 수 없었다 / 사실을. 그녀는 Walter를 두려워했다. 그녀는 숨어서
[8]Margaret couldn't tell / the truth. [9]She was afraid of Walter. [10]She hid and

그림을 그렸다 / 하루 종일.　　　몇 년 후, 　　/ 그녀는 숨는 것을 그만두었다.
painted / all day long. ¹¹A few years later, / she stopped hiding.

　　한 인터뷰에서, 　　/ 그녀는 말했다, // "내가 그 화가입니다, / Walter Keane이 아니라."
¹²In an interview, / she said, // "I'm the painter, / not Walter Keane."

🌿 우리말 해석

화가 Margaret

¹Margaret은 거리에서 사람들을 그렸습니다. ²그녀는 딸이 있었고 돈이 필요했어요. ³나중에, 그녀는 Walter를 만나서 결혼했습니다. ⁴그 당시에, 여자는 일자리를 쉽게 구할 수 없었어요. ⁵Margaret은 집에서 그림을 그렸고 Walter는 그녀의 그림을 팔았죠. ⁶그녀의 그림은 인기를 얻게 되었어요. ⁷그러나 Walter는 자신이 화가라고 거짓말했습니다. ⁸Margaret은 사실을 말할 수 없었습니다. ⁹그녀는 Walter를 두려워했거든요. ¹⁰그녀는 하루 종일 숨어서 그림을 그렸습니다. ¹¹몇 년 후, 그녀는 숨는 것을 그만두었어요. ¹²한 인터뷰에서, 그녀는 이렇게 말했습니다. "Walter Keane이 아니라, 내가 그 화가입니다."

🌿 주요 문장 분석하기

²She had a daughter **and** needed money.
　　주어　동사1　　목적어1　　　　동사2　　목적어2
→ 동사 had와 needed가 and로 연결되었다.

⁶Her paintings **became** *popular*.
　　　　주어　　　　　동사　　　　보어
→ 「become[became]+형용사」는 '~해지다[해졌다]'라는 의미이다.
→ popular는 주어 Her paintings를 보충 설명한다.

⁷But Walter **lied** *that* he was the painter.
　　　　주어　　동사　　　　　　목적어
→ 「lie[lied]+(that)+주어+동사」의 형태로 '~라고 거짓말하다[거짓말했다]'라는 의미이다. 여기서 that은 생략 가능하다.
→ that he was the painter는 동사 lied의 목적어이다.

¹¹A few years later, she **stopped** *hiding*.
　　　　　　　　　　　주어　　동사　　목적어
→ 「stop[stopped]+동사원형+-ing」의 형태로 '~하는 것을 그만두다[그만뒀다]'라는 의미이다.
→ hiding은 '숨는 것'으로 해석하며, 동사 stopped의 목적어이다.

p. 41 **Check Up**	1 ③	2 (a)× (b)○	3 ③	4 ⓐ: **problems** ⓑ: **better**
p. 42 **Build Up**	1 (C)	2 (A)	3 (B)	
p. 42 **Sum Up**	4 → 2 → 3 → 1			
p. 43 **Look Up**	A 1 **hurt**	2 **idea**	3 **share**	
	B 1 **letter** - 편지	2 **grade** - 학년		
	3 **stair** - 계단	4 **well** - 잘, 좋게		
	C 1 **too**	2 **problem**	3 **hurt**	

Check Up

1 아픈 친구를 도와주면서 우연히 발견한 학교의 문제점과 이에 대한 자신의 의견을 설명하면서 더 많은 생각을 나누자고 제안하는 내용이므로 정답은 ③이다.

2 (a) 글쓴이의 이름은 Mary Wilson이며(My name is Mary Wilson ~.) Andy는 글쓴이의 친구이므로 글의 내용과 틀리다.

(b) 교실문이 휠체어가 지나가기에 너무 작다고(The classroom doors are too small for wheelchairs.) 했으므로 글의 내용과 맞다.

3 편지를 받는 사람(School Principal), 글쓴이의 학년(4th grade)은 글에 있지만, 학교 이름에 대한 내용은 없으므로 정답은 ③이다.

4 저는 우리 학교에 몇 가지 ⓐ 문제점들을 발견했어요. 하지만 우리 학교는 ⓑ 더 잘 할 수 있어요.

Build Up

질문		대답
❶ 그 편지는 누구 앞인가?	—	(C) 그 편지는 교장 선생님 앞으로 쓴 것이다.
❷ 글쓴이는 무엇을 하고 싶어 하는가?	—	(A) 글쓴이는 학교에 대한 더 많은 생각을 나누고 싶어 한다.
❸ 누가 그 편지를 썼는가?	—	(B) Mary Wilson이 그 편지를 썼다.

Sum Up

❹ Andy는 그의 다리를 다쳤다. 그는 휠체어를 탄다. →

❷ Andy는 그의 친구들로부터 도움을 받는다. 그러나 학교에 몇 가지 문제점들이 있다. →

❸ 문은 휠체어가 지나가기에 너무 작다. 또한, 엘리베이터가 없다. →

❶ Mary는 교장 선생님께 이 문제들에 대해 편지를 쓴다.

🌿 끊어서 읽기

교장 선생님께,
¹Dear School Principal,

내 이름은 Mary Wilson이다.   //   그리고 나는 4학년이다.   나는 한 명의 친구가 있다. // 그리고
²My name is Mary Wilson, // and I am in the 4th grade. ³I have a friend, // and

그의 이름은 Andy이다.   그는 그의 다리를 다쳤다 / 지난주에.   지금 / 그는 휠체어를 탄다.
his name is Andy. ⁴He hurt his leg / last week. ⁵Now / he's in a wheelchair.

그는 도움을 받는다 / 그의 친구들로부터.
⁶He gets help / from his friends.

하지만 나는 몇 가지 문제점들을 발견했다 / 우리 학교가 가진.   교실문들이 너무 작다   /
⁷But I found some problems / with our school. ⁸The classroom doors are too small /

휠체어에 비해.   또한, /   너무 많은 계단이 있다,   // 그리고 엘리베이터가 없다.
for wheelchairs. ⁹Also, / there are too many stairs, // and there is no elevator.

우리 학교는 더 잘할 수 있다!   우리는 함께 나눌 수 있다 / 더 많은 생각을.
¹⁰Our school can do better! ¹¹We can share / more ideas.

나는 희망한다 / 당신으로부터 듣기를 / 곧.
¹²I hope / to hear from you / soon.

감사합니다.
¹³Thank you,

Mary Wilson 올림
¹⁴Mary Wilson

🌿 우리말 해석

학교로 보내는 편지

¹교장 선생님께,

²제 이름은 Mary Wilson이고, 저는 4학년이에요. ³제게 친구가 한 명 있는데, 그의 이름은 Andy입니다. ⁴그는 지난

주에 다리를 다쳤어요. ⁵이제 그는 휠체어를 타고 다녀요. ⁶그는 친구들로부터 도움을 받습니다.

⁷하지만 저는 우리 학교에서 몇 가지 문제점을 발견했어요. ⁸휠체어에 비해 교실문들이 너무 작아요. ⁹또, 계단이 너무 많고, 엘리베이터가 없어요.

¹⁰우리 학교는 더 잘할 수 있어요! ¹¹우리는 더 많은 생각을 함께 나눌 수 있어요.

¹²저는 교장선생님으로부터 곧 답장을 받기를 바랍니다.

¹³감사합니다.

¹⁴Mary Wilson 올림

⚜ 주요 문장 분석하기

⁹Also, **there are** too many stairs, and **there is** *no* elevator.

→ 「There is[are] ~」는 '~가 있다'라는 의미이며, is 뒤에는 단수명사, are 뒤에는 복수명사가 온다.

→ no는 '~도 없는'의 의미로 문장 전체를 부정한다.

→ 두 개의 문장이 and로 연결되어 있다.

¹²I hope **to hear** from you soon.
주어 동사　　　목적어

→ to hear는 '듣는 것'으로 해석하며, to hear from you soon은 동사 hope의 목적어이다.

04	**Games for Everyone**			pp.44 ~ 47

p. 45 **Check Up**	1 ②	2 (a) × (b) ○ (c) ○	3 ③	4 ⓐ: event ⓑ: give
p. 46 **Build Up**	1 (B)	2 (A)	3 (D)	4 (C)
p. 46 **Sum Up**	ⓐ sports	ⓑ end	ⓒ players	ⓓ courage
p. 47 **Look Up**	A 1 end	2 player	3 give	
	B 1 courage - 용기	2 other - (그 밖에) 다른		
	3 still - 여전히	4 million - 백만의		
	C 1 important	2 understand	3 players	

Check Up

1 세계 장애인 올림픽대회인 패럴림픽대회의 특징과 중요성에 대해 설명하는 내용이므로 정답은 ②이다.

2 (a) 올림픽대회가 끝난 후에 시작된다고(They start after the end of the Olympic Games.) 했으므로 글의 내용과 틀리다.

(b) 여름과 겨울 패럴림픽대회가 있다고(There are Summer and Winter Paralympic Games.) 했으므로 글의 내용과 맞다.

(c) 패럴림픽대회는 매우 중요하다고 하며, 장애를 가진 사람들에게 용기를 주며, 다른 사람들이 장애를 가진 사람들을 더 잘 이해할 수 있다고(And other people can understand them better.) 했으므로 글의 내용과 맞다.

3 개최 시기(올림픽대회가 끝난 후 시작함)와 참가자들의 특징(장애를 가지고 있음)에 대한 내용은 있지만 경기 종목과 관련된 내용은 없으므로 정답은 ③이다.

4
> 패럴림픽대회는 큰 스포츠 ⓐ 행사이다. 그 대회는 많은 사람들에게 용기를 ⓑ 준다.

Build Up

질문		대답
❶ 그 행사의 이름은 무엇인가?	—	(B) 그것은 패럴림픽대회이다.
❷ 그 행사는 언제 시작하는가?	—	(A) 그 행사는 올림픽대회가 끝난 후에 시작된다.
❸ 선수들은 누구인가?	—	(D) 그들은 패럴림픽대회 선수들이다. 그들은 모두 장애를 가지고 있다.
❹ 그 행사는 왜 중요한가?	—	(C) 그 행사는 장애를 가진 사람들에게 용기를 준다.

Sum Up

> 패럴림픽대회는 큰 ⓐ 스포츠 행사이다. 그것은 올림픽대회가 ⓑ 끝난 후에 시작된다. 모든 ⓒ 선수들이 장애를 가지고 있다. 패럴림픽은 장애를 가진 5억 명의 사람들에게 ⓓ 용기를 준다.

🌿 끊어서 읽기

패럴림픽대회는 큰 스포츠 행사이다.   그것은 시작된다 / 올림픽대회가 끝난 후에.
¹The Paralympic Games are a big sports event. ²They start / after the end of the

여름과 겨울 패럴림픽대회가 있다.   모든 선수들, /
Olympic Games. ³There are Summer and Winter Paralympic Games. ⁴All players, /

패럴림픽대회 선수들은, / 장애를 가지고 있다. 몇몇(선수들)은 가지고 있다 / 한쪽 팔 또는 다리를. 어떤 이들은
Paralympians, / have disabilities. ⁵Some have / one arm or leg. ⁶Some cannot

앞을 볼 수 없다. 하지만 그들은 여전히 운동을 할 수 있다.
see. ⁷But they can still play sports.

패럴림픽대회는 매우 중요하다.　　　　　　　　　그것은 용기를 준다　/ 5억 명의 사람들에게
⁸The Paralympic Games are very important. ⁹They give courage / to 500 million

　　　　　/ 장애를 가진.　　　그리고 /　　다른 사람들은 그들을 이해할 수 있다　/ 더 잘.
people / with disabilities. ¹⁰And / other people can understand them / better.

🏅 우리말 해석

모두를 위한 대회

¹패럴림픽대회는 큰 스포츠 행사입니다. ²그것은 올림픽대회가 끝난 후에 시작됩니다. ³여름 패럴림픽대회와 겨울 패럴림픽대회가 있습니다. ⁴모든 패럴림픽대회 선수들은 장애를 가지고 있습니다. ⁵어떤 선수들은 한쪽 팔 또는 한쪽 다리만 갖고 있습니다. ⁶어떤 선수들은 앞을 볼 수 없습니다. ⁷하지만 그들은 여전히 운동을 할 수 있답니다. ⁸패럴림픽대회는 매우 중요합니다. ⁹그것은 장애를 가진 5억 명의 사람들에게 용기를 줍니다. ¹⁰그리고 다른 사람들은 그들을 더 잘 이해할 수 있습니다.

🏅 주요 문장 분석하기

⁹They **give** courage **to** *500 million people* [with disabilities].
　　주어　　동사　목적어
→ 「give A to B」의 형태로 'B에게 A를 주다'의 의미를 나타낸다.
→ with disabilities가 500 million people을 뒤에서 꾸며 준다.

¹⁰And other people can understand them **better**.
　　　　　주어　　　　　　동사　　　목적어
→ better는 '더 잘'의 의미로 부사 well의 비교 표현이다.

Sports

01　Sports Day　　　　pp.50 ~ 53

p. 51 **Check Up**	1 ②	2 (a) ○ (b) × (c) ○	3 ①	4 ⓐ: activities ⓑ: snacks
p. 52 **Build Up**	ⓐ Friday	ⓑ schoolyard	ⓒ race	ⓓ parents
p. 52 **Sum Up**	ⓐ question	ⓑ Friday	ⓒ wear	ⓓ jeans
p. 53 **Look Up**	A 1 gym clothes	2 race	3 parent
	B 1 activity - 활동	2 question - 질문	
	3 hope - 바라다	4 invite - 초대하다	
	C 1 wear	2 fun	3 place

Check Up

1 이 글은 학부모에게 학교 운동회가 열리는 날짜, 장소, 하는 활동, 복장 등에 대해 안내하는 글이므로 정답은 ②이다.

2 (a) 글의 시작 부분에서 '학부모님께(Dear Parents)'라고 했으므로 글의 내용과 맞다.
(b) 운동회 장소는 학교 운동장이라고(Place: Riverside Elementary School Schoolyard) 했으므로 글의 내용과 틀리다.
(c) 운동회 종목 중에 훌라후프가 등장하므로(100-meter race, ~ hula hoop, ~) 글의 내용과 맞다.

3 운동회 날짜는 9월 30일이라고 했고, 복장은 부모는 흰색 티셔츠, 청바지, 운동화이고, 어린이는 학교 체육복, 운동화라고 했다. 활동은 100미터 경주, 공 주고받기, 훌라후프, 학부모 경주라고 했지만, 이에 대한 순서는 글에 등장하지 않으므로 정답은 ①이다.

4　우리 운동회 행사에 재미있는 ⓐ 활동들과 ⓑ 간식이 있을 것이다.

Build Up

학교 운동회 포스터 안에 있는 운동회에 대한 상세 정보를 정리해 본다.

운동회
일시: ⓐ (월요일 / 금요일), 9월 30일 오전 9시
장소: 우리 ⓑ (학교 체육관 / 학교 운동장)
활동: 100미터 ⓒ (달리기 / 수영), 볼 패싱, 훌라후프, ⓓ (부모님 / 선생님) 경주
그때 뵙기를 바랍니다.

Sum Up

> 여보세요, 교무실입니다.

> 안녕하세요, 운동회에 대해 몇 가지 **a** 질문이 있어서요. 그것은 언제 시작하나요?

> 그것은 이번 주 **b** 금요일 9시에 시작합니다.

> 또한, 저는 학부모인데요. 행사에 무엇을 **c** 입어야 하나요?

> 흰 티셔츠와 **d** 청바지를 입으셔야 합니다.

> 알겠습니다. 정말 감사합니다.

✿ 끊어서 읽기

부모님들께,
¹Dear Parents,

우리는 여러분을 초대하고 싶다 / 우리의 운동회 행사에.   ~이 있을 것이다 / 재미있는 활동들과
²We want to invite you / to our Sports Day event. ³There will be / fun activities

간식.   우리는 바란다 / 그때 여러분을 보기를.
and snacks. ⁴We hope / to see you then.

일시: 금요일 /   9월 30일   /   오전 9시
- ⁵Date: Friday, / 30th September / at 9:00 a.m.

장소: Riverside 초등학교 운동장
- ⁶Place: Riverside Elementary School Schoolyard

활동: 100미터 달리기,   공 주고받기,   훌라후프,   학부모 경주
- ⁷Activities: 100-meter race, ball passing, hula hoop, races for parents

입어야 하는 것
- ⁸What to Wear

부모님들: 흰색 티셔츠,   청바지,   운동화
⁹Parents: white T-shirts, jeans, running shoes

아이들: 학교 체육복,   운동화
¹⁰Children: school gym clothes, running shoes

교무실로 전화하라   / 201-300-4512번으로 / 질문에 대해서.
¹¹Please call the school office / at 201-300-4512 / for questions.

✿ 우리말 해석

운동회 날
¹학부모님들께,

²우리 운동회 행사에 여러분들을 초대하고 싶습니다. ³재미있는 활동과 간식이 있을 것입니다. ⁴그때 뵙기를 바랍니다.

- ⁵일시: 9월 30일 금요일 오전 9시
- ⁶장소: Riverside 초등학교 운동장
- ⁷활동: 100미터 달리기, 볼 패싱, 훌라후프, 학부모 경주
- ⁸복장
  ⁹부모: 흰색 티셔츠, 청바지, 운동화
  ¹⁰어린이: 학교 체육복, 운동화
¹¹질문이 있다면 201-300-4512번 교무실로 전화 주시기 바랍니다.

🌾 주요 문장 분석하기

³**There *will* be** fun activities and snacks.

→ 「There will be+명사」는 '~가 있을 것이다'라는 의미이다.

→ will은 '~일 것이다'라는 의미로 미래를 나타내는 표현이며, 뒤에 동사원형이 온다.

⁴We **hope to see** you then.
　주어　동사　　목적어

→ 「hope to+동사원형」은 '~하기를 바라다'의 뜻이다.

02	**Who is the Winner?**				pp.54 ~ 57
p. 55 **Check Up**	1 ②	2 ②	3 (a) ○ (b) × (c) ×	4 ⓐ: lost ⓑ: first	
p. 56 **Build Up**	1 (C)	2 (A)	3 (B)		
p. 56 **Sum Up**	ⓐ fun	ⓑ lost	ⓒ relay	ⓓ best	ⓔ winner
p. 57 **Look Up**	A 1 winner	2 cheer for	3 first		
	B 1 team - 팀	2 the best - 최고의			
	3 prize - 상	4 final - 결승전			
	C 1 won	2 winner	3 classmate		

Check Up

1 세 팀으로 나뉘어 경기한 운동회에서 세 팀이 각각 한 종목씩 우승하였다는 내용이므로 정답은 ②이다.

2 운동회 종목은 100미터 달리기, 축구 경기, 줄다리기, 릴레이 경주였으며(There were 100-meter races, soccer games, tugs-of-war, and relay races.), 줄넘기에 대한 내용은 없었다.

3 (a) 세 개의 다른 팀이 있었다고(There were three different teams: ~.) 했으므로 글의 내용과 맞다.

(b) 글쓴이 '나'의 반은 백팀이었다고(My class was in the White team.) 했으므로 글의 내용과 틀리다.

(c) 청팀은 최고의 응원상을 받았다고(But the Blue team won the prize for the best cheer.) 했으므로 글의 내용과 틀리다.

4

> 우리 팀은 축구 결승전에서 ⓐ 졌다. 하지만 우리는 릴레이 경주에서 ⓑ 1등으로 들어왔다.

Build Up

운동회 경기 결과를 정리해 본다.

❶ – (C) 우리가 최고의 응원상을 받았다!　　　❷ – (A) 우리가 릴레이 경주에서 우승했다!

❸ – (B) 우리가 축구 결승에서 이겼다!

Sum Up

> 나는 오늘 너무 ⓐ 재미있게 보냈다. 운동회 날이었다. 우리 반은 백팀이었다. 우리 팀은 축구 결승전에서 ⓑ 졌다. 홍팀이 우승했다. 그러나 우리는 ⓒ 릴레이 경주에서 이겼다. 또한, 청팀은 ⓓ 최고의 응원상을 받았다. 모두가 ⓔ 우승자였다!

🖋 끊어서 읽기

오늘은 운동회였다.　　　나는 정말 재미있게 보냈다 /　나의 반 친구들과.　　　~가 있었다
¹Today was Sports Day. ²I had so much fun / with my classmates. ³There were

　/　　　　100미터 달리기, 축구 경기, 줄다리기, 그리고 릴레이 경주.
/ 100-meter races, soccer games, tugs-of-wars, and relay races.

세 개의 다른 팀이 있었다:　　　/　백팀, 청팀, 그리고 홍팀.　　우리 반은 백팀에 있었다.
⁴There were three different teams: / White, Blue, and Red. ⁵My class was in the

우리 팀은 졌다　/　축구 결승전에서　/ 홍팀과 맞선. 하지만 우리는 첫 번째로 들어왔다 /
White team. ⁶Our team lost / the soccer final / against the Red team. ⁷But we came

릴레이 경주에서.　　　우리는 우리 팀을 응원했다　/ 매우 열심히.　　하지만 청팀이
in first / in the relay race. ⁸We cheered for our team / very hard. ⁹But the Blue

상을 받았다　　/　최고의 응원에 대한.
team won the prize / for the best cheer.

모두가 우승자였다　　/　오늘!
¹⁰Everyone was a winner / today!

누가 우승자일까?

¹오늘은 운동회 날이었습니다. ²나는 우리 반 친구들과 정말 재미있게 보냈어요. ³100미터 달리기, 축구 경기, 줄다리기, 릴레이 경주가 있었습니다.

⁴백팀, 청팀, 홍팀 이렇게 세 개의 다른 팀이 있었어요. ⁵우리 반은 백팀이었습니다. ⁶우리 팀은 홍팀과의 축구 결승전에서 졌어요. ⁷하지만 우리는 릴레이 경주에서 1등을 했습니다. ⁸우리는 매우 열심히 우리 팀을 응원했어요. ⁹하지만 청팀이 최고의 응원상을 받았습니다.

¹⁰오늘은 모두가 우승자였어요!

🌿 **주요 문장 분석하기**

²I **had** *so much* **fun** with my classmates.
　주어동사　　　목적어

→ have[had] fun은 '재미있게 보내다[보냈다]'라는 의미이다.

→ so much는 '정말의'라는 의미로 fun을 꾸며준다.

⁶Our team lost *the soccer final* [against the Red team].
　주어　　동사　　　　　목적어

→ against the Red team은 앞에 있는 the soccer final을 뒤에서 꾸며준다.

⁹But the Blue team won *the prize* [for the best cheer].
　　　주어　　　　동사　　　목적어

→ for the best cheer는 앞에 있는 the prize를 꾸며준다.

03	**The Olympic Games**			pp.58 ~ 61
p. 59 **Check Up**	1 ②	2 (a) ○ (b) × (c) ○	3 ①	4 ⓐ: Olympic ⓑ: four
p. 60 **Build Up**	ⓐ held	ⓑ Women	ⓒ Everyone	ⓓ winter
p. 60 **Sum Up**	ⓐ first	ⓑ stopped	ⓒ sports	ⓓ again
p. 61 **Look Up**	A 1 change	2 women		3 ice
	B 1 every - ~마다	2 stop -멈추다		
	3 important - 중요한	4 also - 또한		
	C 1 start	2 change		3 about

Check Up

1 올림픽대회가 기원전 776년에 시작하여 오늘날까지 이어지면서 어떻게 변화했는지에 대한 내용이므로 정답은 ②이다.

2 (a) 올림픽대회는 기원전 776년에 시작되었다고(The first Olympic Games started in 776 B.C.) 했으므로 글의 내용과 맞다.

(b) Coubertin은 올림픽대회를 다시 가져오길 원했다고(Pierre Coubertin wanted to bring back the Olympics.) 했으므로 글의 내용과 틀리다.

(c) 올림픽대회는 1896년에 다시 시작되었다고(The Olympics started again in 1896.) 했으므로 글의 내용과 맞다.

3 시간이 지나면서 올림픽대회는 변화했지만, 4년마다 대회가 개최되는 점은 예전과 동일하므로 정답은 ①이다.

4 사람들은 ⓑ 4년마다 ⓐ 올림픽대회를 개최한다.

Build Up

과거와 현재의 올림픽대회에 대한 사실들을 비교하여 정리한다.

예전		지금
사람들은 4년마다 올림픽대회를 ⓐ 개최했다.	→	올림픽대회는 4년마다 개최된다.
ⓑ 여자들은 경기를 할 수 없었다.	→	ⓒ 모두가 경기를 할 수 있다.
여름 대회만 있었다.	→	여름과 ⓓ 겨울 대회가 있다.

Sum Up

올림픽대회의 역사를 시간 순으로 정리해 본다.

올림픽대회의 역사

기원전 776년 — ⓐ 첫 번째 올림픽대회가 시작되었다.

서기 394년 — 올림픽대회는 ⓑ 중단되었다.

1896년 — Pierre Coubertin은 ⓒ 스포츠의 중요성에 대해 이야기했다.

올림픽대회가 ⓓ 다시 시작되었다.

끊어서 읽기

올림픽대회는 중요한 축제이다.   첫 번째 올림픽대회는 시작되었다

¹The Olympic Games are an important festival. ²The first Olympic Games

/ 기원전 776년에.   사람들은 그 축제를 열었다 /   4년마다.   그러나 그것은 중단되었다 /

started / in 776 B.C. ³People held the festival / every four years. ⁴But it stopped /

서기 394년에.

in 394 A.D.

⁵In the 19th century, / Pierre Coubertin wanted / to bring back the Olympics. ⁶He

talked to people / about the importance of sports. ⁷The Olympics started again /

in 1896.

⁸Over time, / the Olympics changed. ⁹In old times, / women couldn't play. ¹⁰But

now everyone can. ¹¹Also, / there are the winter games / for ice and snow sports.

우리말 해석

올림픽대회

¹올림픽대회는 중요한 축제입니다. ²첫 번째 올림픽대회는 기원전 776년에 시작되었습니다. ³사람들은 4년마다 그 축제를 열었습니다. ⁴그러나 그것은 서기 394년에 중단되었습니다.

⁵19세기에, Pierre Coubertin은 올림픽대회를 다시 가져오길 원했습니다. ⁶그는 사람들에게 스포츠의 중요성에 대해 말했습니다. ⁷1896년에 올림픽대회가 다시 시작되었습니다.

⁸시간이 흐르면서, 올림픽대회는 변화했습니다. ⁹예전에는, 여자들은 경기에 참가할 수 없었습니다. ¹⁰하지만 지금은 모두가 경기에 참가할 수 있습니다. ¹¹또한, 빙상과 눈 스포츠를 위한 겨울 대회가 있습니다.

주요 문장 분석하기

²People held the festival **every** four years.
　주어　　동사　　　목적어
→ every는 '~마다'라는 의미로 빈도를 나타내는 표현이다.

⁶He talked to people about *the importance* [of sports].
　주어　동사
→ of sports는 명사 the importance를 뒤에서 꾸며준다.

⁹In old times, women **couldn't** play.
　　　　　　　주어　　　동사
→ couldn't는 '~할 수 없었다'라는 의미로 could not의 줄임말이며, cannot의 과거형이다.

¹⁰But now everyone can (play).
→ 동사의 반복을 피하기 위해 can 뒤에 동사 play가 생략되었다.

¹¹Also, there are *the winter games* [for ice and snow sports].
→ for ice and snow sports는 앞에 있는 the winter games를 뒤에서 꾸며준다.

| p. 63 **Check Up** | 1 ② | 2 (a) ○ (b) ○ (c) ✕ | 3 ③ | 4 ⓐ: five ⓑ: white |
| p. 64 **Build Up** | 1 (B) | 2 (A) | 3 (C) | |

| p. 64 **Sum Up** | ⓐ rings | ⓑ parts | ⓒ six | ⓓ white |

p. 65 **Look Up**	A 1 color	2 ring	3 choose
	B 1 part - 지역; 부분	2 mean - 의미하다	
	3 flag - 기, 깃발	4 background - 바탕	
	C 1 use	2 chose	3 Draw

Check Up

1 올림픽기가 언제, 어떻게 만들어졌는지와 그 특징에 대해 설명하는 내용이므로 정답은 ②이다.

2 (a) Coubertin이 손으로 고리를 그리고 색칠했다고(He drew and colored the rings by hand.) 했으므로 글의 내용과 맞다.

(b) 올림픽기의 고리는 세계의 다섯 지역을 의미한다고(The five rings mean the five parts of the world ~.) 했으므로 글의 내용과 맞다.

(c) 모든 나라의 국기에는 올림픽기에 사용된 여섯 가지의 색상 중 적어도 한 가지 색이 있다고(Every country's flag has at least one of them.) 했으므로 글의 내용과 틀리다.

3 올림픽기에는 다섯 개의 고리에 파란색, 검정색, 빨간색, 노란색, 초록색과 흰색이 사용되었으므로, 정답은 ③ 이다.

4 올림픽기는 ⓑ 흰 바탕에 ⓐ 다섯 개의 고리가 있다.

Build Up

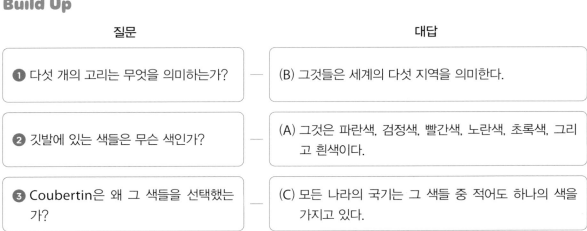

질문		대답
❶ 다섯 개의 고리는 무엇을 의미하는가?	—	(B) 그것들은 세계의 다섯 지역을 의미한다.
❷ 깃발에 있는 색들은 무슨 색인가?	—	(A) 그것은 파란색, 검정색, 빨간색, 노란색, 초록색, 그리고 흰색이다.
❸ Coubertin은 왜 그 색들을 선택했는가?	—	(C) 모든 나라의 국기는 그 색들 중 적어도 하나의 색을 가지고 있다.

Sum Up

Pierre Coubertin은 1913년에 올림픽기를 디자인했다. 그 깃발은 흰색 바탕에 다섯 개의 ⓐ 고리들이 있다. 그 고리들은 세계의 다섯 ⓑ 지역을 의미한다. 그는 그 깃발에 ⓒ 여섯 가지 색을 사용했다. 그것은 파란색, 검정색, 빨간색, 노란색, 초록색, 그리고 ⓓ 흰색이다.

🌿 끊어서 읽기

올림픽대회 동안, / 우리는 올림픽기를 본다 / 자주. 그 깃발은 가지고 있다 /
¹During the Olympic Games, / we see the Olympic flag / often. ²The flag has /

다섯 개의 고리를 / 흰색 바탕에. Pierre Coubertin이 그 깃발을 디자인했다 / 1913년에.
five rings / on a white background. ³Pierre Coubertin designed the flag / in 1913.

그는 고리를 그리고 색칠했다 / 손으로.
⁴He drew and colored the rings / by hand.

다섯 개의 고리는 의미한다 / 세계의 다섯 지역을, / 아프리카, 아시아, 아메리카,
⁵The five rings mean / the five parts of the world: / Africa, Asia, America,

유럽, 그리고 오세아니아. Coubertin은 사용했다 / 파란색, 검정색, 빨간색, 노란색, 그리고 초록색을 /
Europe, and Oceania. ⁶Coubertin used / blue, black, red, yellow, and green /

다섯 개의 고리에. 그는 또한 흰색을 선택했다 / 바탕으로. 왜
for the five rings. ⁷He also chose white / for the background. ⁸Why

그 여섯 가지 색일까? 모든 나라의 국기는 가지고 있다 / 최소한 / 그것들 중 하나를.
those six colors? ⁹Every country's flag has / at least / one of them.

🌿 우리말 해석

올림픽기
¹올림픽대회 동안, 우리는 올림픽기를 자주 봅니다. ²그 깃발은 흰색 바탕에 다섯 개의 고리가 있습니다. ³Pierre Coubertin이 1913년에 그 깃발을 디자인했습니다. ⁴그는 손으로 고리를 그리고 색칠했어요.
⁵다섯 개의 고리는 세계의 다섯 지역, 아프리카, 아시아, 아메리카, 유럽, 오세아니아를 의미합니다. ⁶Coubertin은 다섯 개의 고리에 파란색, 검정색, 빨간색, 노란색, 그리고 초록색을 사용했습니다. ⁷그는 또한 바탕(색)으로 흰색을 선택했습니다. ⁸왜 그 여섯 가지 색을 사용했을까요? ⁹모든 나라의 국기에는 최소한 그 색들 중 하나는 들어있기 때문입니다.

🌿 주요 문장 분석하기

⁴He drew **and** colored **the rings** *by* hand.
　주어　동사1　　　동사2　　목적어
→ 두 개의 동사 drew와 colored가 and로 연결된 형태의 문장이다.

→ the rings는 두 개의 동사에 공통으로 쓰인 목적어이다.

→ by는 '〜로'의 뜻으로 방법이나 수단을 나타낸다.

[6]Coubertin used blue, black, red, yellow, **and** green for the five rings.

<u>주어</u>　<u>동사</u>　　　　<u>목적어</u>

→ 세 개 이상을 나열할 때는 콤마(,)를 쓰다가 마지막 단어 앞에 and를 쓴다.

[9]**Every** country's flag **has** at least *one of* them.

<u>주어</u>　　<u>동사</u>　<u>목적어</u>

→ 「every+단수명사」는 '모든, 매'라는 의미이다.

→ 주어가 단수형이므로 이에 맞게 단수동사 has가 쓰였다.

→ 「one of+복수명사」는 '〜 중 하나'라는 의미이다.

CHAPTER 4

Violin

01 Beautiful Music

pp.68 ~ 71

p. 69 Check Up	1 ② 　 2 (a)✕ (b)○ (c)✕ 　 3 ③ 　 4 ⓐ: listened ⓑ: dream
p. 70 Build Up	1 (A) 　 2 (C) 　 3 (B) 　 4 (D) / 2 → 1 → 4 → 3
p. 70 Sum Up	ⓐ music 　 ⓑ practiced 　 ⓒ heard 　 ⓓ dream
p. 71 Look Up	A 1 people 　 2 dream 　 3 get B 1 hear - 듣다 　 2 come true - 이루어지다 　 3 finally - 마침내 　 4 a few - 몇, 약간의 C 1 play 　 2 dream 　 3 music

Check Up

1 TV에서 바이올린 연주자를 보고 자신도 사람들을 위해 아름다운 음악을 연주하고 싶다는 꿈을 가지게 된 Mole의 이야기이다. 따라서 정답은 ②이다.

2 (a) Mole은 나무 아래의 땅 속에 살았다고(Mole lived in the ground, under a tree.) 했으므로 글의 내용과 틀리다.

(b) Mole은 TV에서 본 바이올린 연주자처럼 아름다운 음악을 만들고 싶었다고(One night, he saw a violinist ~ wanted to make beautiful music, too.) 했으므로 글의 내용과 맞다.

(c) Mole은 몇 년 후에 TV에서 본 바이올린 연주자보다 더 잘 연주했다고(After a few years, Mole played better than the violinist.) 했으므로 글의 내용과 틀리다.

3 Mole은 사람들을 위해 자신의 음악을 연주하고 싶다고 했고(He wanted to play his music for people.), 몇 년 후에는 사람들이 찾아와서 그의 음악을 들었다고(They came and listened to Mole's music.) 했으므로 정답은 ③이다.

4 　사람들이 와서 Mole의 음악을 ⓐ 들었다. 마침내 그의 ⓑ 꿈이 이루어졌다.

Build Up

❷ – (C) Mole은 TV에서 한 바이올린 연주자를 보았다.

❶ – (A) Mole은 매일 바이올린을 연습했다.

❹ – (D) Mole은 그 바이올린 연주자보다 더 잘 연주했다.

❸ – (B) 사람들이 와서 Mole의 음악을 들었다.

Sum Up

어느 날 밤, Mole은 TV에서 한 바이올린 연주자를 보았다. 그녀는 아름다운 **a** 음악을 만들었다. 그는 사람들을 위해 자신의 음악을 연주하고 싶었다. 그래서 그는 바이올린을 하나 구해서 매일 그것을 **b** 연습했다. 몇 년 후, 사람들은 Mole에 대해 **c** 들었고 그의 음악을 들었다. 마침내, Mole의 **d** 꿈이 이루어졌다.

🌱 끊어서 읽기

Mole은 살았다 / 땅 속에. / 나무 아래에. 어느 날 밤, / 그는 바이올린 연주자를 보았다 /
¹Mole lived / in the ground, / under a tree. ²One night, / he saw a violinist / on

TV에서. 그녀는 만들었다 / 아름다운 음악을. 그는 원했다 / 아름다운 음악을 만들기를, /
TV. ³She made / beautiful music. ⁴He wanted / to make beautiful music, /

～도. 그래서 / 그는 바이올린을 구했다. 그는 바이올린을 연습했다 / 매일. 그는 원했다
too. ⁵So / he got a violin. ⁶He practiced the violin / every day. ⁷He wanted

/ 그의 음악을 연주하기를 / 사람들을 위해.
/ to play his music / for people.

한 달 후, / 그는 더 잘했다. 두 달 후, / 그는 한 곡을 연주할 수 있었다.
⁸After a month, / he was better. ⁹After two months, / he could play a song. ¹⁰After

몇 년 후, / Mole은 더 잘 연주했다 / 그 바이올린 연주자보다. 사람들은 들었다 / Mole에 대해서.
a few years, / Mole played better / than the violinist. ¹¹People heard / about Mole.

그들은 왔다 / 그리고 Mole의 음악을 들었다. 마침내, / Mole의 꿈이 이루어졌다.
¹²They came / and listened to Mole's music. ¹³Finally, / Mole's dream came true.

🌱 우리말 해석

아름다운 음악

¹Mole은 나무 아래에 있는 땅 속에 살았어요. ²어느 날 밤, 그는 TV에 나오는 한 바이올린 연주자를 보았습니다. ³그녀는 아름다운 음악을 만들었지요. ⁴그도 아름다운 음악을 만들고 싶었어요. ⁵그래서 그는 바이올린을 하나 구했어요. ⁶그는 매일 바이올린을 연습했지요. ⁷그는 사람들을 위해 자신의 음악을 연주하고 싶었어요.

⁸한 달 후, 그는 더 잘했어요. ⁹두 달 후에는, 한 곡을 연주할 수 있게 되었지요. ¹⁰몇 년 후, Mole이 그 바이올린 연주자보다 더 연주를 잘했어요. ¹¹사람들은 Mole에 대해 들었어요. ¹²그들은 와서 Mole의 음악을 들었지요. ¹³마침내, Mole의 꿈이 이루어졌답니다.

🌾 주요 문장 분석하기

⁴He wanted **to make** beautiful music, too.

<u>He</u> <u>wanted</u> <u>to make beautiful music</u>
주어   동사   목적어

→ to make는 '만드는 것'으로 해석하며, to make beautiful music은 동사 wanted의 목적어이다.

⁸After a month, he was **better**.
¹⁰After a few years, Mole played **better** *than* the violinist.

→ better는 good(잘하는)과 well(잘)의 비교급이며, '더 잘하는' 또는 '더 잘'이라는 의미이다.

→ than 뒤에는 비교하는 대상이 와서 '~보다'의 의미를 나타낸다.

02	Niccolò Paganini			pp.72 ~ 75
p. 73 **Check Up**	1 ③	2 (a) ○ (b) ✕	3 ②	4 ⓐ: master ⓑ: violin
p. 74 **Build Up**	ⓐ wrote	ⓑ invented ⓒ skill	ⓓ played	ⓔ master
p. 74 **Sum Up**	1 → 3 → 2 → 4			
p. 75 **Look Up**	A 1 write	2 proud	3 break	
	B 1 difficult - 어려운	2 skill - 실력, 솜씨		
	3 string - 줄, 끈	4 show off - ~을 자랑하다		
	C 1 proud	2 invented	3 wrote	

Check Up

1 최고의 바이올린 연주자 중 하나인 Niccolò Paganini가 자신의 바이올린 연주 실력을 자랑한 일화를 설명하는 내용이므로 정답은 ③이다.

2 (a) Paganini는 많은 바이올린 기법들을 발명했다고(He invented many violin techniques.) 했으므로, 글의 내용과 맞다.

(b) Paganini는 자신의 연주 실력을 자랑스러워했다고(~, and Paganini was very proud of his skill.) 했으므로, 글의 내용과 틀리다.

3 다른 바이올린 연주자가 Paganini에게 도전했다고(One day, another violinist challenged Paganini.) 했지만, Paganini가 다른 연주자에게 도전했다는 내용은 없으므로 정답은 ②이다.

4 | Niccolò Paganini는 ⓑ 바이올린의 진정한 ⓐ 명인이었다. |

Build Up

Niccolò Paganini는
- 음악을 **a** (공부했다 / 작곡했다).
- 많은 바이올린 기법들을 **b** (발명했다 / 들었다).
- 그의 **c** (실력을 / 바이올린을) 자랑하고 싶었다.
- 오직 한 줄만 있는 그의 바이올린을 **d** (연주했다 / 부쉈다).
- 바이올린의 진정한 **e** (명인 / 도전자)이었다.

Sum Up

| ❶ Paganini는 자신의 바이올린 실력을 자랑스러워했다. | → | ❸ 다른 바이올린 연주자가 Paganini에게 도전했다. | → |
| ❷ Paganini는 자신의 바이올린 줄을 끊었다. | → | ❹ Paganini는 오직 한 줄로 어려운 음악을 완벽하게 연주했다. | |

끊어서 읽기

Niccolò Paganini는 ~이었다 / 최고의 바이올린 연주자들 중 한 명. 그는 음악을 작곡했다. 그는 발명했다 /
[1]Niccolò Paganini was / one of the best violinists. [2]He wrote music. [3]He invented /

많은 바이올린 (연주) 기법들.　　모든 사람이 알았다 /　그에 대해　// 그리고 Paganini는 매우
many violin techniques. [4]Everyone knew / about him, // and Paganini was very

자랑스러워했다 / 그의 실력을.
proud / of his skill.

어느 날,　/ 다른 바이올린 연주자가 / Paganini에게 도전했다.　Paganini는 원했다 /
[5]One day, / another violinist / challenged Paganini. [6]Paganini wanted / to

그의 실력을 자랑하기를.　그는 끊었다 / 그의 바이올린 줄들을. 그는 그대로 두었다 / 오직 하나의 줄만 / 그의
show off his skill. [7]He broke / his violin's strings. [8]He left / only one string / on

바이올린에.　하지만 그는 연주했다 /　어려운 음악을 /　완벽하게.　그는 진정한 명인이었다 /
his violin. [9]But he played / difficult music / perfectly. [10]He was a true master /

바이올린의.
of the violin.

우리말 해석

Niccolò Paganini

[1]Niccolò Paganini는 최고의 바이올린 연주자들 중 한 명이었습니다. [2]그는 음악을 작곡했습니다. [3]그는 많은 바이올린 연주 기법들을 발명했어요. [4]모든 사람이 그에 대해 알고 있었고, Paganini는 자신의 실력을 매우 자랑스러워했

습니다.

⁵어느 날, 다른 바이올린 연주자가 Paganini에게 도전했어요. ⁶Paganini는 자신의 실력을 자랑하고 싶었어요. ⁷그는 자신의 바이올린 줄을 끊었습니다. ⁸그는 자신의 바이올린에 단 하나의 줄만 그대로 두었어요. ⁹하지만 그는 어려운 음악을 완벽하게 연주했죠. ¹⁰그는 바이올린의 진정한 명인이었답니다.

🌿 주요 문장 분석하기

¹Niccolò Paganini was **one of** the best violinists.
　　　주어　　　　　동사　　　　　　보어

→ 「one of+복수명사」는 '~ 중 하나'라는 의미이다.

⁴Everyone knew about him, **and** Paganini was very proud of his skill.
　주어1　　동사1　　　　　　　　　주어2　　　동사2

→ 접속사 and가 두 개의 문장을 연결한다.

⁶Paganini wanted **to show off** his skill.
　주어　　　　동사　　　　　　목적어

→ to show off는 '자랑하는 것'으로 해석하며, to show off his skill은 동사 wanted의 목적어이다.

03	**The Mouse Violinist**			pp.76 ~ 79
p. 77 **Check Up**	1 ②	2 (a) ○ (b) × (c) ×		3 ⓐ: violin ⓑ: big
	4 **a tiny little violin**			
p. 78 **Build Up**	1 (B), (D)	2 (A), (C), (E)		
p. 78 **Sum Up**	3 → 4 → 2 → 1			
p. 79 **Look Up**	A 1 little	2 put		3 open
	B 1 workshop - 작업장	2 something - 어떤 것		
	3 size - 크기	4 try - 노력하다		
	C 1 finished	2 live		3 perfect

Check Up

1 작은 쥐 Poppy가 큰 바이올린을 연주하려고 하는 것을 본 Antonio가 Poppy를 위해 아주 작은 바이올린을 만들어 줬다는 내용이므로 가장 알맞은 제목은 ②이다.

2 (a) Poppy는 Antonio의 작업장에서 살았다고(Poppy lived in Antonio's workshop.) 했으므로 글의 내용과 맞다.

(b) Poppy는 매일 밤 Antonio의 바이올린을 연주하려 노력했다고(But she tried to play it every night.) 했으므로 글의 내용과 틀리다.

(c) Poppy는 Antonio가 남긴 작은 상자를 발견했고, 그것을 열었다고(Poppy found the box and opened it.) 했으므로 글의 내용과 틀리다.

3
> Poppy는 Antonio의 ⓐ 바이올린을 연주하려고 노력했지만, 그것은 그녀에게 너무 ⓑ 컸다.

4 Antonio가 무언가를 작은 상자에 넣었고, 그 작은 상자 안에 아주 작은 바이올린이 있었다고(Poppy found the box and opened it. There was a tiny little violin.) 했으므로, 밑줄 친 ⓐ는 a tiny little violin을 가리킨다.

Build Up

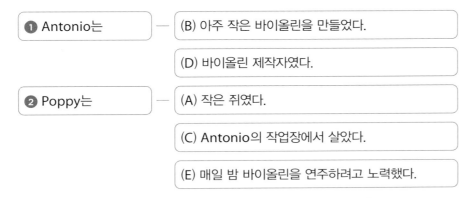

❶ Antonio는 — (B) 아주 작은 바이올린을 만들었다.

(D) 바이올린 제작자였다.

❷ Poppy는 — (A) 작은 쥐였다.

(C) Antonio의 작업장에서 살았다.

(E) 매일 밤 바이올린을 연주하려고 노력했다.

Sum Up

❸ Poppy는 매일 밤 Antonio의 큰 바이올린을 연주하려 노력했다. → ❹ Antonio는 어떤 소리를 들었고 자신의 바이올린을 갖고 있는 Poppy를 보았다. →

❷ Antonio는 아주 작은 바이올린을 만들었다. → ❶ 그 바이올린은 Poppy에게 완벽한 크기였다.

🌾 끊어서 읽기

Antonio는 바이올린 제작자였다.　　Poppy는 작은 쥐였다.　　Poppy는 살았다 /
[1]Antonio was a violin maker. [2]Poppy was a little mouse. [3]Poppy lived / in

Antonio의 작업장 안에서.　그녀는 원했다 / Antonio의 바이올린을 연주하기를. 그 바이올린은 너무
Antonio's workshop. [4]She wanted / to play Antonio's violin. [5]The violin was too

컸다 / 그녀에게.　하지만 그녀는 노력했다 / 그것을 연주하려고 / 매일 밤.
big / for her. [6]But she tried / to play it / every night.

어느 날 밤, / Antonio는 무언가를 들었다 / 그의 작업장으로부터. 그곳에서, / 그는
⁷One night, / Antonio heard something / from his workshop. ⁸There, / he

Poppy를 보았다 / 그의 바이올린과 함께. 그는 생각했다, // "나는 무언가를 만들 것이다 / 그녀를 위해!"
saw Poppy / with his violin. ⁹He thought, // "I will make something / for her!"

그가 그 작업을 끝냈을 때, // 그는 그것을 넣었다 / 작은 상자 안에.
¹⁰When he finished the work, // he put it / in a small box.

Poppy는 그 상자를 발견했다 / 그리고 그것을 열었다. 아주 작은 바이올린이 있었다. 그것은
¹¹Poppy found the box / and opened it. ¹²There was a tiny little violin. ¹³It was

완벽한 크기였다 / 그녀에게!
the perfect size / for her!

🌿 우리말 해석

쥐 바이올린 연주자

¹Antonio는 바이올린 제작자였어요. ²Poppy는 작은 쥐였습니다. ³Poppy는 Antonio의 작업장 안에서 살았어요.
⁴그녀는 Antonio의 바이올린을 연주하고 싶었어요. ⁵그 바이올린은 그녀에게 너무 컸지요. ⁶하지만 그녀는 매일 밤 그것을 연주하려고 노력했답니다.

⁷어느 날 밤, Antonio는 그의 작업장에서 나는 어떤 소리를 들었어요. ⁸거기에서, 그는 자신의 바이올린과 함께 있는 Poppy를 보았지요. ⁹그는 "내가 그녀를 위해 무언가를 만들어야겠다!"라고 생각했어요. ¹⁰그가 작업을 완료했을 때, 그는 그것을 작은 상자에 넣었어요.

¹¹Poppy는 그 상자를 발견하고 그것을 열었습니다. ¹²아주 작은 바이올린이 있었지요. ¹³그것은 그녀에게 완벽한 크기였답니다!

🌿 주요 문장 분석하기

⁴She wanted **to play** Antonio's violin.
　주어　　동사　　　　　목적어
→ to play는 '연주하는 것'으로 해석하며, to play Antonio's violin은 동사 wanted의 목적어이다.

⁷One night, Antonio heard *something* [from his workshop].
　　　　　　주어　　동사　　　목적어
→ from his workshop은 something을 뒤에서 꾸며준다.

¹⁰**When** he finished the work, he put it in a small box.
　　　　주어′　동사′　　목적어′　　주어 동사 목적어
→ When은 '~할 때'라는 의미로 문장과 문장을 연결하는 시간을 나타내는 접속사이다.

¹²**There was** a tiny little violin.
→ 「There was+단수명사」의 형태로 '~가 있었다'라는 의미이다.

04 Antonio Stradivari

pp.80 ~ 83

p. 81 **Check Up**	1 ②	2 (a) ○ (b) ○ (c) ×	3 ②	4 ⓐ: famous ⓑ: life	
p. 82 **Build Up**	1 (B)	2 (C)	3 (A)		
p. 82 **Sum Up**	ⓐ famous	ⓑ violinists	ⓒ sound	ⓓ real	ⓔ expensive
p. 83 **Look Up**	A 1 famous	2 sound	3 cheap		
	B 1 life - 일생, 생애	2 real - 진짜의			
	3 sell - 팔다	4 million - 100만			
	C 1 famous	2 lied	3 expensive		

Check Up

1 Stradivari가 만든 스트라디바리우스 중 바이올린에 대해 설명하는 글이므로 정답은 ②이다.

2 (a) Antonio Stradivari는 그의 일생 동안 약 960개의 바이올린을 제작했다고(During his life, he made about 960 violins.) 했으므로 글의 내용과 맞다.

(b) 가짜 스트라디바리우스를 진짜라고 거짓말해서 파는 사람들도 있었다고(Some people lied, sold fake ones, and made money.) 했으므로 글의 내용과 맞다.

(c) 오늘날 진짜 스트라디바리우스 바이올린은 약 450개가 있다고 했으므로(There are about 450 real violins.) 글의 내용과 틀리다.

3 바이올린의 제작 시기는 17세기에서 18세기이며, 오늘날 가장 값이 싼 것은 약 100만 달러라고 했지만, 재료에 대한 내용은 글에 없다.

4
> Antonio Stradivari는 ⓐ 유명한 바이올린 제작자였으며, 그의 ⓑ 일생 동안 약 960개의 바이올린을 제작했다.

Build Up

질문	대답
❶ Stradivari는 언제 바이올린을 제작했는가?	(B) 그는 17세기와 18세기에 바이올린을 제작했다.
❷ Stradivari는 몇 개의 바이올린을 제작했는가?	(C) 그는 일생 동안 약 960개의 바이올린을 제작했다.
❸ Stradivari의 바이올린은 얼마인가?	(A) 가장 값이 싼 것이 약 100만 달러이다.

Sum Up

Antonio Stradivari는 ⓐ 유명한 바이올린 제작자였다. 많은 ⓑ 바이올린 연주자들이 그의 바이올린을 갖고 싶어 했다. 그것들은 완벽한 ⓒ 소리를 내었다. 오늘날, 약 450개의 ⓓ 진짜 Stradivari 바이올린이 있다. 그것들은 아주 ⓔ 비싸다.

끊어서 읽기

Antonio Stradivari는 유명한 바이올린 제작자였다.　그는 만들었다 / 많은 바이올린을 /
¹Antonio Stradivari was a famous violin maker. ²He made / many violins / in the

17세기와 18세기에.　그의 일생 동안, / 그는 만들었다 / 약 960개의 바이올린을. 많은
17th and 18th centuries. ³During his life, / he made / about 960 violins. ⁴Many

바이올린 연주자들은 원했다 / 그의 바이올린을 갖기. 그것들은 만들었다 / 완벽한 소리를. 하지만 /
violinists wanted / to have his violins. ⁵They made / perfect sound. ⁶But / there

가짜 스트라디바리우스가 있었다, / ~도. 어떤 사람들은 거짓말했다, / 가짜 스트라디바리우스를 팔았다, /
were fake Stradivarii, / too. ⁷Some people lied, / sold fake ones, /

그리고 돈을 벌었다.
and made money.

오늘날, / 당신은 여전히 찾을 수 있다 / 가짜와 진짜 스트라디바리우스를.　약 450개의 진짜 바이올린이
⁸Today, / you can still find / fake and real Stradivarii. ⁹There are about 450 real

있다.　그것들은 아주 비싸다.　가장 값이 싼 것은 ~이다 / 약 100만 달러!
violins. ¹⁰They are really expensive. ¹¹The cheapest one costs / about one million

dollars!

우리말 해석

Antonio Stradivari

¹Antonio Stradivari는 유명한 바이올린 제작자였어요. ²그는 17세기와 18세기에 많은 바이올린을 제작했습니다. ³일생 동안, 그는 약 960개의 바이올린을 제작했어요. ⁴많은 바이올린 연주자들이 그의 바이올린을 갖고 싶어 했지요. ⁵그것들은 완벽한 소리를 냈거든요. ⁶하지만 가짜 스트라디바리우스도 있었어요. ⁷어떤 사람들은 거짓말을 하고 가짜 스트라디바리우스를 팔아서 돈을 벌었어요.

⁸오늘날, 여러분들은 여전히 가짜와 진짜 스트라디바리우스를 찾을 수 있어요. ⁹약 450개의 진짜 바이올린이 있어요. ¹⁰그것들은 아주 비싸답니다. ¹¹가장 값이 싼 것이 약 100만 달러나 되니까요!

🌿 주요 문장 분석하기

[4]Many violinists wanted **to have** his violins.
　　　주어　　　　　　동사　　　　목적어

→ to have는 '가지는 것'으로 해석하며, to have his violins는 동사 wanted의 목적어이다.

[7]Some people lied, sold fake **ones**, *and* made money.
　　주어　　　　동사1　동사2　목적어2　　　동사3　목적어3

→ ones는 앞 문장에 등장한 Stradivarii를 가리키며, 명사의 반복을 피하기 위해 쓰였다.

→ 세 개 이상의 동사가 연결될 때는 콤마(,)로 나열하되, 마지막 동사 앞에만 and를 쓴다.

[11]**The cheapest** *one* costs about one million dollars!
　　　주어　　　　　　동사　　　　　목적어

→ the cheapest는 '가장 값이 싼'이라는 의미이며, 형용사 cheap(값이 싼)의 최상급이다.

→ one은 앞에서 등장한 명사의 반복을 피하기 위해 쓰였으며, 앞 문장에 등장한 real violin을 가리킨다.

 Places

01 The Rainbow Village — pp.86 ~ 89

p. 87 **Check Up**	1 ②	2 ②	3 (a)✕ (b)〇 (c)〇	4 ②	5 ⓐ: home ⓑ: visit
p. 88 **Build Up**	ⓐ build	ⓑ left	ⓒ stayed	ⓓ saved	ⓔ visit
p. 88 **Sum Up**	ⓐ interesting	ⓑ village	ⓒ bored	ⓓ still	
p. 89 **Look Up**	A 1 bored 2 village 3 paint B 1 visit - 방문하다 2 still - 여전히 3 place - 장소, 곳 4 building - 건물 C 1 village 2 bored 3 stay					

Check Up

1 날짜가 제일 먼저 등장하고, 그날 있었던 일에 대해 설명하는 내용이므로 정답은 ②이다.

2 오래된 마을에 혼자 남은 노인이 집들에 그림을 그렸고, 근처 대학생들의 도움을 받아 많은 사람들이 방문하는 Rainbow 마을을 탄생시킨 과정을 설명하는 내용이므로 알맞은 제목은 ②이다.

3 (a) 글쓴이의 반이 Rainbow 마을을 방문했다고(Today, my class visited the Rainbow Village.) 했으므로 글의 내용과 틀리다.

(b) 근처의 대학생들은 노인의 예술 작품을 보고 난 후에, 그 마을을 구하고 싶었다고(They wanted to save the village.) 했으므로, 그들이 마을에 새 건물들을 짓는 걸 반대했다는 것을 알 수 있다.

(c) 그림을 그린 그 노인, Rainbow 할아버지는 여전히 그곳에서 산다고(And the old man, now Grandpa Rainbow still lives in it.) 했으므로 글의 내용과 맞다.

4 모두가 떠난 마을에 혼자 남게 된 Rainbow 할아버지는 지루해서(Soon he got bored.) 그림을 그렸다고 했으므로 정답은 ②이다.

5
> 한 노인이 오래된 마을에 있는 자신의 ⓐ 집과 다른 집들에 그림을 그렸다. 이제 많은 사람들이 그 마을을 ⓑ 방문한다.

Build Up

Rainbow 마을이 탄생한 과정을 정리해 본다.

도시는 새로운 건물들을 ⓐ 짓기로 결정했다.	→	모든 사람이 그 마을을 ⓑ 떠났다.	→	한 노인만이 ⓒ 남아서 그림을 그렸다.	→	근처의 대학생들이 그의 예술 작품을 보았고 열한 개의 집을 ⓓ 구했다.	→	이제 많은 사람들이 그 마을을 ⓔ 방문한다.

Sum Up

Rainbow 마을에 관한 ⓐ 흥미로운 이야기가 있다. 많은 사람들이 이제 그곳을 방문하지만, 처음에 그곳은 오래된 ⓑ 마을이었다. 모든 사람들이 떠날 때 오직 한 노인만이 남았다. 그는 ⓒ 지루했고 그의 집과 다른 집들에 그림을 그렸다. 마침내, 그의 그림 때문에 사람들이 열한 개의 집을 구했다. 그 노인은 ⓓ 여전히 그 마을에 산다.

🌾 끊어서 읽기

9월 15일
¹September 15th

오늘, / 우리 반은 방문했다 / Rainbow 마을을. 우리는 들었다 / 흥미로운 이야기를 /
²Today, / my class visited / the Rainbow Village. ³We heard / an interesting story /

그 장소에 대한.
about the place.

그것은 오래된 마을이었다 / 처음에는. 그러다가 도시는 결정했다 / 새로운 건물들을 짓기로.
⁴It was an old village / at first. ⁵Then the city decided / to build new buildings.

모두가 마을을 떠났다. 하지만 오직 한 노인만이 남았다. 곧 / 그는 지루해졌다.
⁶Everyone left the village. ⁷But only one old man stayed. ⁸Soon / he got bored.

그는 그림을 그렸다 / 자신의 집과 다른 집들에. 어느 날, / 근처 대학교들의 학생들은
⁹He painted / on his home and others. ¹⁰One day, / students from nearby

/ 그의 예술 작품을 보았다. 그들은 원했다 / 마을을 구하기를. 마침내, /
universities / saw his artwork. ¹¹They wanted / to save the village. ¹²In the end, /

그들은 열한 개의 집을 구했다. 이제 / 많은 사람들이 그 마을을 방문한다. 그리고 그 노인, /
they saved 11 homes. ¹³Now / many people visit the village. ¹⁴And the old man, /

지금은 Rainbow 할아버지는, / 여전히 산다 / 그곳에.
now Grandpa Rainbow, / still lives / in it.

우리말 해석

Rainbow 마을

[1]9월 15일

[2]오늘, 우리 반은 Rainbow 마을을 방문했다. [3]우리는 그 장소에 대한 재미있는 이야기를 들었다.

[4]그곳은 처음에는 오래된 마을이었다. [5]그러다가 도시는 새로운 건물들을 짓기로 결정했다. [6]모두가 마을을 떠났다. [7]하지만 한 노인만이 남았다. [8]곧 그는 지루해졌다. [9]그는 자신의 집과 다른 집들에 그림을 그렸다. [10]어느 날, 근처의 대학생들이 그의 예술 작품을 보았다. [11]그들은 마을을 구하고 싶었다. [12]마침내, 그들은 열한 개의 집을 구했다. [13]이제 많은 사람들이 그 마을을 방문한다. [14]그리고 지금은 Rainbow 할아버지인 그 노인은 여전히 그곳에 산다.

주요 문장 분석하기

[3]We heard *an interesting story* [about the place].
　주어　동사　　　　　　　목적어

→ about the place는 명사 an interesting story를 뒤에서 꾸며준다.

[5]Then the city decided **to build** new buildings.
　　　주어　　동사　　　　목적어

→ to build는 '짓는 것'으로 해석하며, to build new buildings는 동사 decided의 목적어이다.

[8]Soon he **got** bored.
　　주어 동사　보어

→ 「get[got]+형용사」는 '(어떤 상태가) 되다[되었다]'라는 의미이다.

[9]He painted on his home and **others**.
　주어　　동사

→ 대명사 others는 other homes를 의미하며, 앞에 나온 명사의 반복을 피하기 위해 쓰였다. 특정하지 않은 homes를 나타낸다.

[10]One day, *students* [from nearby universities] saw his artwork.
　　　　　　주어　　　　　　　　　　　　　동사　　목적어

→ from nearby universities는 명사 students를 뒤에서 꾸며준다.

p. 91 **Check Up**	1 ③ 2 (a) ○ (b) ○ (c) ✕ 3 ② 4 ⓐ: castle ⓑ: white		
p. 92 **Build Up**	1 (C) 2 (A) 3 (B)		
p. 92 **Sum Up**	ⓐ take off ⓑ looks like ⓒ soft ⓓ natural		
p. 93 **Look Up**	A 1 hard	2 enter	3 cotton
	B 1 trip - 여행	2 hurt - 아프다	
	3 stair - 계단	4 natural - 천연의	
	C 1 soft	2 amazing	3 mean

Check Up

1 가족과 함께 Pamukkale를 여행한 경험에 대해 설명하는 글이므로 정답은 ③이다.

2 (a) 글쓴이의 가족은 여행을 떠났고, 오늘 터키에 있는 Pamukkale를 방문했다고(My family is on a trip. We visited Pamukkale in Turkey today.) 했으므로 터키로 여행을 떠났다는 것을 알 수 있다.

(b) Pamukkale는 '목화 성'을 의미한다고(Pamukkale means "cotton castle.") 했으므로 글의 내용과 맞다.

(c) 글쓴이는 신발을 벗고 들어갔다고(So we took off our shoes and entered.) 했으므로 글의 내용과 틀리다.

3 Pamukkale의 바닥은 석회석이라서 눈처럼 보이나 아주 딱딱하며, 울퉁불퉁하다고 했으므로 정답은 ② 이다.

4 Pamukkale는 '목화 ⓐ 성'을 뜻하며, 그것은 눈처럼 ⓑ 하얀 솜처럼 보인다.

Build Up

질문		대답
❶ 'Pamukkale'는 무엇을 의미하는가?	—	(C) 그것은 '목화 성'을 의미한다.
❷ 그 장소는 어떻게 생겼는가?	—	(A) 그곳은 눈처럼 하얀 솜같이 생겼다.
❸ 바닥은 어떠한가?	—	(B) 그것은 딱딱하고 울퉁불퉁하다. 그것은 석회석이다.

Sum Up

Pamukkale는 터키에 있는 세계문화유산이에요. 들어갈 때는, 신발을 ⓐ 벗으세요. 바닥은 눈처럼 ⓑ 보이지만, 석회석이기 때문에 ⓒ 부드러운 느낌은 들지 않아요. 이곳에서 ⓓ 천연 수영장을 볼 수 있습니다.

여러분은 Pamukkale을 아주 좋아할 거예요. 오셔서 이 놀라운 곳을 즐겨 보세요!

끊어서 읽기

우리 가족은 여행하는 중이다. 우리는 방문했다 / 터키에 있는 Pamukkale를 / 오늘.   Pamukkale는
¹My family is on a trip. ²We visited / Pamukkale in Turkey / today. ³Pamukkale

의미한다 / '목화 성'을.   그것은 보인다 /   눈처럼 하얀 솜처럼.
means / "cotton castle." ⁴It looks / like snowy white cotton.

        Pamukkale는 세계문화유산이다.   그래서 / 우리는 우리의 신발을 벗었다 / 그리고 들어갔다.
⁵Pamukkale is a World Heritage Site. ⁶So / we took off our shoes / and entered.

        바닥은 눈처럼 보였다.   하지만 그것은 부드럽게 느껴지지 않았다. 그것은 매우 딱딱했다 //
⁷The floor looked like snow. ⁸But it didn't feel soft. ⁹It was very hard // because

그것은 석회석이었기 때문에.   바닥은 매우 울퉁불퉁했다.   // 그리고 내 발이 아팠다.   ~가 있었다   /
it was limestone. ¹⁰The floor was very rough, // and my feet hurt. ¹¹There were /

        천연 수영장.   그것들은 계단처럼 보였다.   Pamukkale는 놀라웠다.
natural swimming pools. ¹²They looked like stairs. ¹³Pamukkale was amazing.

우리말 해석

놀라운 Pamukkale
¹우리 가족은 여행하는 중입니다. ²우리는 오늘 터키에 있는 Pamukkale를 방문했어요. ³Pamukkale는 '목화 성'이라는 뜻이에요. ⁴그것은 눈처럼 하얀 솜처럼 보여요.
⁵Pamukkale는 세계문화유산입니다. ⁶그래서 우리는 신발을 벗고 들어갔어요. ⁷바닥은 눈처럼 보였어요. ⁸하지만 그것은 부드럽지 않았어요. ⁹그것은 석회석이어서 매우 딱딱했답니다. ¹⁰바닥이 매우 울퉁불퉁해서 나는 발이 아팠어요. ¹¹천연 수영장들이 있었어요. ¹²그것들은 계단처럼 보였죠. ¹³Pamukkale는 놀라웠어요.

주요 문장 분석하기

⁴It **looks like** snowy white cotton.
주어   동사   보어

→ 「look like+명사」는 '~처럼 보이다'라는 의미이다.

→ like snowy white cotton은 주어 It을 보충 설명해 준다.

⁹It was very hard **because** it was limestone.
→ because는 '~ 때문에'라는 의미이며, 이유를 나타내는 문장을 연결하는 접속사이다.

¹¹**There were** natural swimming pools.
→ 「There were+복수명사」는 '~가 있었다'라는 의미이다.

03	Welcome to Manarola!			pp.94 ~ 97
p. 95 **Check Up**	1 ②	2 (a) ○ (b) × (c) ○	3 ③	4 ⓐ: top ⓑ: lunch
p. 96 **Build Up**	ⓐ houses	ⓑ top	ⓒ church	ⓓ lunch
p. 96 **Sum Up**	ⓐ meters	ⓑ colorful	ⓒ top	ⓓ sea
p. 97 **Look Up**	A 1 colorful	2 top		3 view
	B 1 miss - 놓치다	2 watch out - 경계하다		
	3 seaside - 해변	4 forget - 잊다		
	C 1 top	2 down		3 colorful

Check Up

1 Manarola 관련 설명과 앞으로의 일정에 대한 내용의 글이므로 정답은 ②이다.

2 (a) Marco는 자신을 소개하면서 여러분의 여행 안내원이 될 것이라고(My name is Marco. I will be your guide today.) 했으므로 글의 내용과 맞다.

(b) 여행 안내원이 관광객들에게 Manarola에 대해 설명하면서, 먼저 마을 꼭대기에 올라갈 거라고(First we'll go to the top of the town.) 했으므로 안내원과 관광객들은 아직 마을 꼭대기에 올라가기 전임을 알 수 있다. 따라서 글의 내용과 틀리다.

(c) Manarola의 알록달록한 집들이 바다를 향하고 있다고(Manarola's colorful houses are facing the sea.) 했으므로 글의 내용과 맞다.

3 교회는 마을 꼭대기에 있으며, 예전에는 해적을 경계하던 곳이었다고 했지만, 식당으로 쓰인다는 내용은 없다.

4 우리는 마을 ⓐ 꼭대기로 갈 것이며, 그러고 나서 해변 식당에서 ⓑ 점심을 먹을 것이다.

Build Up

Manarola 하루 여행: 1일차		
시간	장소	활동
오전 10시	마을	마을과 알록달록한 ⓐ 집들을 둘러본다.
오전 10시 30분	마을 ⓑ 꼭대기	오래된 ⓒ 교회를 방문한다.
오후 12시	해변 식당	ⓓ 점심을 먹는다.

Sum Up

Manarola
- 그곳은 해수면 위로 ⓐ 70(미터 / 킬로미터)에 있다.
- 많은 ⓑ (오래된 / 알록달록한) 집들이 있다.
- 마을 ⓒ (꼭대기 / 해변)에 오래된 교회가 있다.
- 많은 집들과 식당들이 ⓓ (산 / 바다)를 향하고 있다.

끊어서 읽기

Manarola에 오신 걸 환영합니다! 제 이름은 Marco입니다. 제가 여러분의 여행 안내원이 될 것입니다 / 오늘.
[1]"Welcome to Manarola! [2]My name is Marco. [3]I will be your guide / today. [4]Can

여러분은 볼 수 있나요 / 저 아래 바다? 저희는 지금 있어요 / 약 70미터에 / 해수면 위로.
you see / the sea down there? [5]We are now / about 70 meters / above sea level.

Manarola의 알록달록한 집들은 / 바다를 향하고 있습니다. 먼저 우리는 갈 것입니다 / 마을 꼭대기에.
[6]Manarola's colorful houses / are facing the sea. [7]First we'll go / to the top of the

여러분은 볼 것입니다 / 오래된 교회를. 옛날에, / 사람들은 해적들을 경계했습니다 /
town. [8]You'll see / an old church. [9]Long ago, / people watched out for pirates /

그곳에서. 그 후에, / 저희는 점심을 먹을 것입니다 / 해변 식당에서. 놓치지 마세요 /
from there. [10]After that, / we'll have lunch / at a seaside restaurant. [11]Don't miss /

바다 전망을. Manarola를 즐기세요. 여러분은 절대 잊지 못하실 겁니다 / 이곳을."
the view of the sea. [12]Enjoy Manarola. [13]You'll never forget / this place."

우리말 해석

Manarola에 오신 걸 환영해요!
[1]"Manarola에 오신 걸 환영합니다! [2]제 이름은 Marco입니다. [3]제가 오늘 여러분의 여행 안내원이 될 것입니다. [4]저 아래의 바다가 보이시나요? [5]우리는 지금 해수면 위로(해발) 약 70미터에 있습니다. [6]Manarola의 알록달록한 집들은 바다를 향하고 있지요. [7]우리는 먼저 마을 꼭대기로 올라갈 거예요. [8]여러분은 오래된 교회를 볼 것입니다. [9]옛날에, 사람들은 그곳에서 해적들을 경계했습니다. [10]그 후에, 우리는 해변 식당에서 점심을 먹을 예정이에요. [11]바다 전망을 놓치지 마세요. [12]Manarola를 즐기세요. [13]여러분은 이곳을 절대 잊지 못하실 겁니다."

🌾 주요 문장 분석하기

⁶Manarola's colorful houses **are facing** the sea.
　　　　　　　주어　　　　　　　　동사　　　목적어

→ 「are[is]+동사원형+-ing」의 형태로 '~하고 있다'라는 의미를 가진 현재진행형이다.

¹¹**Don't miss** *the view* [of the sea].
　　　주어　　　　　목적어

→ 「Don't+동사원형」은 '~하지 마라'라는 의미의 부정명령문이다.

→ of the sea는 명사 the view를 뒤에서 꾸며준다.

¹³You'll **never** forget this place.

→ never는 '절대 ~ 않다'라는 의미로 강한 부정을 나타내는 빈도부사이다.

→ 빈도부사는 조동사 뒤, 일반동사 앞에 온다.

04	**A Special Market**			pp.98 ~ 101
p. 99 **Check Up**	1 ② 2 (a) ○ (b) × (c) ×		3 ② 4 ⓐ: train ⓑ: next to	
p. 100 **Build Up**	ⓐ make way	ⓑ train	ⓒ wait	ⓓ passes
p. 100 **Sum Up**	ⓐ through ⓑ bell	ⓒ move	ⓓ close	ⓔ touch
p. 101 **Look Up**	A 1 train	2 bell	3 touch	
	B 1 next to - ~의 바로 옆에	2 through - ~을 통해		
	3 track - 기찻길	4 make way - 비켜 주다		
	C 1 train	2 touch	3 close	

Check Up

1 태국에만 있는 기찻길 위에 있는 시장에 대해 소개하는 내용이므로 정답은 ②이다.

2 (a) 이런 시장은 태국에서만 볼 수 있다고(You can see such a market only in Thailand.) 했으므로, 글의 내용과 맞다.

(b) 기차가 시장을 통과한다고(A train goes through the market!) 했으므로 글의 내용과 틀리다.

(c) 사람들이 기찻길 바로 옆에서 물건을 판다고(People sell things right next to the tracks.) 했으므로 글의 내용과 틀리다.

3 밑줄 친 ⓐ는 '종이 울린다.'라는 의미로, 몇 분 후에 기차가 온다는 내용이 이어지는 것으로 보아, 정답은 ② 이다.

4 | ⓐ 기차는 Maeklong 기찻길 시장을 통해 간다. 사람들은 기찻길 바로 ⓑ 옆에서 물건을 판다. |

Build Up

Maeklong 기찻길 시장에서 기차가 시장을 통과하는 과정은 아래와 같다.

| Maeklong 기찻길 시장에서 종이 울린다. | → | 사람들은 물건을 옮기고 기차가 지나가도록 ⓐ 비켜 준다. | → | 몇 분 후에, ⓑ 기차가 온다. | → | 방문자들은 멈춰 서서 ⓒ 기다린다. | → | 기차가 ⓓ 지나간다. |

Sum Up

6월 11일

　오늘 나는 태국에 있는 Maeklong 기찻길 시장을 방문했다. 그곳은 다른 시장들과 달랐다. 기차가 그곳을 ⓐ 통해서 간다! 나는 철로 옆의 많은 물건들을 보았다. 그때, 나는 ⓑ 종소리를 들었다. 사람들은 물건을 ⓒ 옮기기 시작했고 기차가 왔다. 나는 멈춰서 기다렸다. 그 기차는 정말 ⓓ 가까이 왔다. 나는 그 기차를 ⓔ 만질 수 있었다.

🌿 끊어서 읽기

　　　　　Maeklong 기찻길 시장은 매우 특별하다.　　　　기차는 간다 /　　시장을 통해!
[1]Maeklong Railway Market is very special. [2]A train goes / through the market!

　　사람들은 물건을 판다 /　　기찻길 바로 옆에서.　　　기차는 매우 가까이 온다.　　그래서 당신은
[3]People sell things / right next to the tracks. [4]The train comes very close. [5]So you

　　기차를 만질 수 있다.　　당신은 볼 수 있다 /　　그런 시장을 /　　오직 태국에서만.
can touch the train. [6]You can see / such a market / only in Thailand.

　　　　　　기차가 어떻게 통과할까?　　　　종이 울린다.　　　그때 사람들은 물건들을 옮긴다.
[7]How can the train pass through? [8]A bell rings. [9]Then people move things away.

　　그들은 기차가 지나가도록 비켜 준다.　　　　　몇 분 후에, /　　기차가 온다.
[10]They make way for the train. [11]A few minutes later, / the train comes.

　　방문자들은 멈춘다 / 그리고 기다린다.　　기차가 지나간다.
[12]Visitors stop / and wait. [13]The train passes by.

🌿 우리말 해석

특별한 시장

¹Maeklong 기찻길 시장은 매우 특별해요. ²기차가 시장을 통해서 가거든요! ³사람들은 기찻길 바로 옆에서 물건을 팔아요. ⁴기차가 아주 가까워요. ⁵그래서 기차를 만져볼 수도 있답니다. ⁶그런 시장은 오직 태국에서만 볼 수 있어요. ⁷기차가 어떻게 통과할까요? ⁸종이 울립니다. ⁹그때 사람들은 물건들을 다른 데로 옮기지요. ¹⁰그들은 기차가 지나가 도록 비켜 줍니다. ¹¹몇 분 후에, 기차가 옵니다. ¹²방문자들은 멈춰 서서 기다려요. ¹³기차가 지나갑니다.

🌿 주요 문장 분석하기

³People sell things ***right*** **next to** the tracks.
　　주어　동사　목적어

→ next to는 '～의 바로 옆에'라는 뜻의 전치사이다.

→ 부사 right는 '바로'라는 뜻으로 next to를 강조한다.

⁹**A few** minutes later, the train comes.

→ a few는 '약간의, 몇'의 의미로 뒤에 복수명사 minutes가 왔다.

Words

70 B

· 정답과 해설 ·

WORKBOOK

01 Pizza for Dinner

p.2

A 1 have   2 love
   3 order   4 add
   5 favorite   6 dinner

B 1 look at – ~을 보다
   2 pick – 고르다, 선택하다
   3 tonight – 오늘 밤

C 1 O: Dad, loves
   2 O: Mom, doesn't like
   3 O: I, can't pick
   4 O: My brother, my favorite topping, likes, is

D 1 my family will have pizza for dinner
   2 Everyone in my family loves cheese
   3 I will add more cheese
   4 This pizza seems perfect

02 Rossi's Pizza

p.4

A 1 bake   2 special
   3 secret   4 delicious
   5 large   6 real

B 1 medium – 중간의
   2 restaurant – 레스토랑, 식당
   3 also – 또한

C 1 O: We, bake

   2 O: Rossi's Pizza, is
   3 O: A small Meat Lover's Pizza, is
   4 O: Pepperoni Lover's Pizza, has

D 1 You will love Rossi's Pizza
   2 Rossi's Pizza has real Italian-style pizzas
   3 and try Rossi's secret sauce
   4 You can also call

03 The First Pizza

p.6

A 1 put   2 poor
   3 popular   4 city
   5 cook   6 look like

B 1 become – ~해지다
   2 flag – 기, 깃발
   3 new – 새로운

C 1 O: "Margherita", was
   2 O: The queen, loved
   3 O: Pizza, began
   4 O: The pizza, had

D 1 The king and queen of Italy visited a city
   2 A cook made "Margherita"
   3 The pizza looked like the Italian flag
   4 The new pizza became popular

04 The Hen's Pizza

p.8

A 1 ask   2 see
   3 buy   4 store

5 outside   6 together

B 1 call – 부르다

2 say – 말하다

3 come back – 돌아오다

C 1 O: She, <u>bought</u>

2 O: They, <u>enjoyed</u>

3 O: The hen, <u>went</u>

4 O: We, <u>can do</u>

D 1 She saw her friends

2 Do you want some pizza

3 Can you do the dishes

4 Thanks for the pizza

01 Pants for Change!

p.10

A 1 walk   2 listen

3 arrive   4 dress

5 pants   6 early

B 1 wear – 입다

2 different – 다른

3 fast – 빠르게

C 1 O: She, <u>wanted</u>

2 O: Pants, <u>were</u>

3 O: Girls, <u>don't wear</u>

4 O: students and teachers, <u>were</u>

D 1 girls only wore dresses

2 they were surprised

3 Why are you wearing

4 She could walk fast

02 Margaret the Painter

p.12

A 1 need   2 hide

3 paint   4 painting

5 painter   6 truth

B 1 all day long – 하루 종일

2 interview – 인터뷰

3 job – 직업, 일자리

C 1 O: She, <u>hid</u>, <u>painted</u>

2 O: Margaret, Walter, <u>painted</u>, <u>sold</u>

3 O: She, <u>had</u>, <u>needed</u>

4 O: a woman, <u>couldn't get</u>

D 1 and they married

2 Her paintings became popular

3 Margaret couldn't tell the truth

4 she stopped hiding

03 Letter to the School

p.14

A 1 hurt   2 share

3 help   4 problem

5 too   6 well

B 1 idea – 생각

2 hear – 듣다

3 principal – 교장

C 1 O: He, <u>hurt</u>

2 O: We, <u>can share</u>

3 O: I, his name, <u>have</u>, <u>is</u>

4 O: My name, I, <u>is</u>, <u>am</u>

D 1 He gets help

2 I found some problems

3 The classroom doors are too small

4 I hope to hear from you

04 Games for Everyone

p.16

A 1 give   2 understand

3 important   4 event

5 end   6 player

B 1 arm – 팔

2 with – ~을 가진

3 after – ~ 후에, ~ 뒤에

C 1 O: The Paralympic Games, <u>are</u>

2 O: Some, <u>have</u>

3 O: All players, Paralympians, <u>have</u>

4 O: they, <u>can play</u>

D 1 There are Summer and Winter

2 Some cannot see

3 give courage to people

4 Other people can understand them better

CHAPTER 3

Sports

pp.48 ~ 65

01 Sports Day

p.18

A 1 hope   2 wear
3 invite   4 fun
5 place   6 activity

B 1 date – 날짜
2 snack – 간식
3 schoolyard – 운동장

C 1 O: The place, is
2 O: We, want
3 O: Parents, wear
4 O: Activities, are

D 1 The Sports Day event will start
2 There will be fun activities and snacks
3 Parents and children will wear
4 Please call the school office

02 Who is the Winner?

p.20

A 1 classmate   2 lose
3 win   4 first
5 team   6 winner

B 1 game – 경기
2 hard – 열심히
3 everyone – 모두

C 1 O: My class, was
2 O: Everyone, was

3 O: Our team, lost
4 O: the Blue team, won

D 1 I had so much fun
2 There were three different teams
3 But we came in first
4 We cheered for our team

03 The Olympic Games

p.22

A 1 change   2 stop
3 start   4 hold
5 about   6 woman

B 1 bring back – 다시 가져오다
2 again – 다시
3 century – 세기, 100년

C 1 O: The Olympics, started
2 O: The Olympic Games, are
3 O: the Olympics, changed
4 O: women, couldn't play

D 1 People held the festival
2 The Olympics started again
3 He talked to people
4 there are the winter games

04 The Olympic Flag

p.24

A 1 choose   2 use
3 draw   4 ring
5 part   6 flag

B 1 during – ~ 동안

2 often – 자주

3 world – 세계

C 1 O: The flag, <u>has</u>

2 O: He, <u>chose</u>

3 O: Coubertin, <u>used</u>

4 O: Pierre Coubertin, <u>designed</u>

D 1 drew and colored the rings

2 The five rings mean the five parts

3 Why those six colors

4 Every country's flag has

01 Beautiful Music

p.26

A 1 play   2 hear

3 dream   4 people

5 ground   6 music

B 1 practice – 연습하다

2 better – 더 잘하는; 더 잘

3 month - 달, 월

C 1 O: She, <u>made</u>

2 O: People, <u>heard</u>

3 O: he, <u>saw</u>

4 O: They, <u>came</u>, <u>listened</u>

D 1 He wanted to make beautiful music

2 He wanted to play his music

3 he could play a song

4 Mole played better than the violinist

02 Niccolò Paganini

p.28

A 1 write   2 invent

3 break   4 proud

5 true   6 show off

B 1 leave – 그대로 두다

2 know – 알다

3 perfectly – 완벽하게

C 1 O: He, <u>invented</u>

2 O: he, <u>played</u>

3 O: Paganini, <u>wanted</u>

4 O: Everyone, Paganini, <u>knew</u>, <u>was</u>

D 1 one of the best violinists

2 another violinist challenged Paganini

3 He left only one string

4 He was a true master of the violin

03 The Mouse Violinist

p.30

A 1 live   2 finish

3 Try   4 perfect

5 little   6 something

B 1 open – 열다

2 think – 생각하다

3 find – 발견하다

C 1 O: Poppy, <u>lived</u>

2 O: She, <u>wanted</u>

3 O: I, <u>will make</u>

4 O: Poppy, <u>found</u>, <u>opened</u>

D 1 The violin was too big

2 Antonio heard something

3 he saw Poppy

4 It was the perfect size for her

04 Antonio Stradivari

p.32

A 1 lie   2 sound

3 life   4 famous

5 expensive   6 cheap

B 1 century – 세기, 100년

2 still – 여전히

3 really – 아주, 정말

C 1 O: They, <u>made</u>

2 O: He, <u>made</u>

3 O: Antonio Stradivari, <u>was</u>

4 O: Some people, <u>lied</u>, <u>sold</u>, <u>made</u>

D 1 he made about 960 violins

2 Many violinists wanted to have his violins

3 There are about 450 real violins

4 The cheapest one costs about one million dollars

CHAPTER 5

Places pp.84 ~ 101

01 The Rainbow Village

p.34

A 1 village   2 save
3 stay   4 interesting
5 bored   6 still

B 1 nearby – 근처의
2 decide to – ~하기로 결정하다
3 leave – 떠나다

C 1 O: He, painted
2 O: They, wanted
3 O: Everyone, left
4 O: Students from nearby universities, saw

D 1 my class visited the Rainbow Village
2 We heard an interesting story
3 The city decided to build new buildings
4 many people visit the village

02 Amazing Pamukkale

p.36

A 1 trip   2 Take off
3 hurt   4 mean
5 soft   6 amazing
7 hard

B 1 cotton – 목화; 솜
2 castle – 성
3 floor – 바닥

C 1 O: Pamukkale, is
2 O: My family, is
3 O: it, didn't feel
4 O: The floor, my feet, was, hurt

D 1 looks like snowy white cotton
2 took off our shoes and entered
3 The floor was very hard
4 The natural swimming pools looked like stairs

03 Welcome to Manarola!

p.38

A 1 down   2 miss
3 view   4 top
5 colorful   6 Watch out

B 1 church – 교회
2 above - ~의 위에
3 face – ~을 향하다

C 1 O: I, will be
2 O: we, will go
3 O: we, will have
4 O: Don't miss

D 1 We are now about 70 meters
2 Manarola's colorful houses are facing the sea
3 people watched out for pirates
4 You'll never forget this place

04 A Special Market

p.40

A 1 touch   2 Pass

3 close   4 train

5 next to   6 make way

B 1 ring – 울리다

    2 railway – 기찻길, 철로

    3 sell – 팔다

C 1 ○: Visitors, <u>stop</u>, <u>wait</u>

    2 ○: you, <u>can touch</u>

    3 ○: Maeklong Railway Market, <u>is</u>

    4 ○: the train, <u>comes</u>

D 1 A train goes through

    2 People sell things

    3 How can the train pass through

    4 People make way for the train

한눈에 보는
왓츠 Reading 시리즈

70 A|B | **80** A|B

90 A|B | **100** A|B

1 체계적인 학습을 위한 시리즈 및 난이도 구성
2 재미있는 픽션과 유익한 논픽션 50:50 구성
3 이해력과 응용력을 향상시키는 다양한 활동 수록
4 지문마다 제공되는 추가 어휘 학습
5 워크북과 부가자료로 완벽한 복습 가능
6 학습에 편리한 차별화된 모바일 음원 재생 서비스
   → 지문, 어휘 MP3 파일 제공

단계	단어 수 (Words)	Lexile 지수
70 A	60 ~ 80	200-400L
70 B	60 ~ 80	
80 A	70 ~ 90	300-500L
80 B	70 ~ 90	
90 A	80 ~ 110	400-600L
90 B	80 ~ 110	
100 A	90 ~ 120	500-700L
100 B	90 ~ 120	

* Lexile(렉사일) 지수는 미국 교육 연구 기관 MetaMetrics에서 개발한 독서능력 평가지수로, 미국에서 가장 공신력 있는 지수로 활용되고 있습니다.

부가자료 다운로드
www.cedubook.com

READING RELAY 한 권으로
영어를 공부하며 국·수·사·과까지 5과목 정복!

리딩릴레이 시리즈

① 각 챕터마다 주요 교과목으로 지문 구성!

우리말 지문으로 배경지식을 읽고, 관련된 영문 지문으로 독해력 키우기

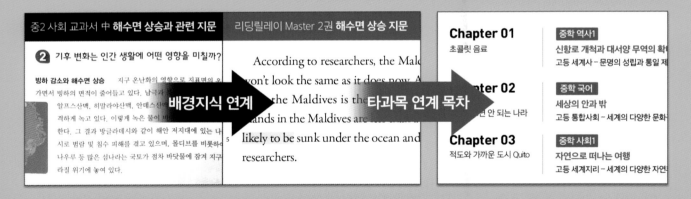

② 학년별로 국/영문의 비중을 다르게!

지시문 & 선택지 기준

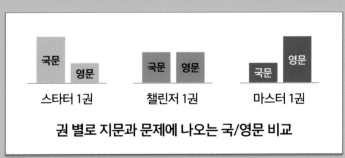

③ 교육부 지정 필수 어휘 수록!

쎄듀 초등 커리큘럼

	예비초	초1	초2	초3	초4	초5	초6
구문				초등코치 천일문 SENTENCE 1001개 통문장 암기로 완성하는 초등 영어의 기초			
문법					초등코치 천일문 GRAMMAR 1001개 예문으로 배우는 초등 영문법		
문법			신간 왓츠 Grammar Start 시리즈 초등 기초 영문법 입문				
문법					신간 왓츠 Grammar Plus 시리즈 초등 필수 영문법 마무리		
독해					신간 왓츠 리딩 70 / 80 / 90 / 100 A / B 쉽고 재미있게 완성되는 영어 독해력		
어휘				초등코치 천일문 VOCA & STORY 1001개의 초등 필수 어휘와 짧은 스토리			
어휘		패턴으로 말하는 초등 필수 영단어 1 / 2 문장 패턴으로 완성하는 초등 필수 영단어					
ELT	신간 Oh! My PHONICS 1 / 2 / 3 / 4 유·초등학생을 위한 첫 영어 파닉스						
ELT		Oh! My SPEAKING 1 / 2 / 3 / 4 / 5 / 6 핵심 문장 패턴으로 더욱 쉬운 영어 말하기					
ELT		신간 Oh! My GRAMMAR 1 / 2 / 3 쓰기로 완성하는 첫 초등 영문법					

쎄듀 중등 커리큘럼

	예비중	중1	중2	중3
구문			천일문 기초 1 / 2	문법중심구문
문법		천일문 GRAMMAR LEVEL 1 / 2 / 3		예문 중심 문법 기본서
문법		GRAMMAR Q Starter 1, 2 / Intermediate 1, 2 / Advanced 1, 2		학기별 문법 기본서
문법		잘 풀리는 영문법 1 / 2 / 3		문제 중심 문법 적용서
문법		GRAMMAR PIC 1 / 2 / 3 / 4		이해가 쉬운 도식화된 문법서
문법			1센치 영문법	1권으로 핵심 문법 정리
문법+어법			첫단추 BASIC 문법·어법편 1 / 2	문법·어법의 기초
문법+쓰기	EGU 영단어&품사 / 문장 형식 / 동사 써먹기 / 문법 써먹기 / 구문 써먹기			서술형 기초 세우기와 문법 다지기
문법+쓰기				올씀 1 기본 문장 PATTERN 내신 서술형 기본 문장 학습
쓰기		거침없이 Writing LEVEL 1 / 2 / 3		중등 교과서 내신 기출 서술형
쓰기		중학영어 쓰작 1 / 2 / 3		중등 교과서 패턴 드릴 서술형
어휘	어휘끝 중학 필수편	중학 필수어휘 1000개	어휘끝 중학 마스터편	고난도 중학어휘 +고등기초 어휘 1000개
독해		Reading Relay Starter 1, 2 / Challenger 1, 2 / Master 1, 2		타교과 연계 배경 지식 독해
독해		READING Q Starter 1, 2 / Intermediate 1, 2 / Advanced 1, 2		예측/추론/요약 사고력 독해
독해전략			리딩 플랫폼 1 / 2 / 3	논픽션 지문 독해
독해유형			Reading 16 LEVEL 1 / 2 / 3	수능 유형 맛보기 + 내신 대비
독해유형			첫단추 BASIC 독해편 1 / 2	수능 유형 독해 입문
듣기	Listening Q 유형편 / 1 / 2 / 3			유형별 듣기 전략 및 실전 대비
듣기		쎄듀 빠르게 중학영어듣기 모의고사 1 / 2 / 3		교육청 듣기평가 대비